JN026766

かけがえのない国

誇り高き日本文明

武田邦彦
KUNIHIKO TAKEDA

MdN Corporation

まえがき　～欧米よりも日本が優れている理由

◉「文明開化」という言葉に惑わされるな

一般的に「偉い」とされるようなこと、たとえば「頭がいい」「足が速い」「力が強い」「事業で成功した」「名のある賞を獲った」などといったことに筆者は素直に拍手を送ります。しかし、そうしたことが果たして「人として本当に素晴らしいこと」でしょうか。

社会のトップに立った政治家、あるいは社会に貢献した実業家など、そういった人々が偉いというわけでは決してない、と筆者は考えています。

能力や実力を含めた力の序列ではない、一人ひとりに備わった偉さというものがあるのです。これが本当の「平等」という考え方です。

もちろん日本社会の中にも序列がありますが、日本人は「お母さんがいちばん偉い」という伝統の中で生きてきました。これがいわゆる「西洋文明」と決定的に違うところです。

古来、日本の神様のトップは天照大神（あまてらすおおみかみ）という女神です。令和の御世で１２６代を数える天皇の祖神です。そして、『古事記』や『日本書紀』に描かれた高天原（たかまのはら）という神々の暮らす世界に軍隊はありませんでした。

そもそもの日本が、力によるものではない序列を基本とし、かけがえがないということを大切にして皆で守ってきた〝文明〟であるということは、こうした事実一つをとっても証明できます。

一方、西洋文明は古来、軍事に長けていました。他者を倒して序列を整えていくことに関しては西洋文明に優れたものがあります。

『省諐録（せいけんろく）』という著書で知られる明治維新期の兵学者・佐久間象山（しょうざん）も指摘していることですが、西洋は自分一人に利益がある状態を最善とします。その状態に持っていくための〝嘘〟をつく技術にも優れています。

これまで筆者は、明治維新期に使われた「文明開化」という言葉をずっと不思議に思ってきました。福沢諭吉が『西洋事情』という著書で初めて使ったとされているようですが、彼ほどの大人物がなぜ「開化」と表現したのか……。

幕末、西洋列強が日本に押し寄せました。植民地となることを防ぐために、日本は西洋の技術を熱心に取り入れ、誤解を恐れずに言えば「残虐行為」を行えるようになりました。

もちろん、それによって日本は「日清戦争」「日露戦争」に勝利するのですが、これによって先にお話をした日本の伝統が破壊された、すなわち「日本文明の衰退」だったのではないか……。

当時の世界情勢でそうせざるをえなかった先人たちの努力には敬意を表しますが、西洋文化を取り入れ、日本人がより幸福になったかどうかははなはだ疑問です。

「文明開化」というのは、西洋文明を輸入することで、「日本がこれから開化する」という意味です。福沢諭吉など当時の教養人には確かにそう見えたのかもしれません。しかしこれは、西洋の「嘘をつく技術によって惑わされた」ということも考えられます。

西洋は哲学や法学、理学といったように体系化してしまうことが得意で、何事においても「西洋のほうが優れている」「西洋のほうが先である」と思い込ませることに長けています。

たとえば、17世紀フランスの哲学者ルネ・デカルトに「我思う、故に我あり」という有名な言葉があります。存在という概念の自明さを言ったものですが、これなどはすでに、イブン・スィーナーという人をはじめとして、11世紀のアラビアに、同じことを説いたイスラム哲学者が何人もいました。

また、18～19世紀イギリスの経済学者トマス・ロバート・マルサスは著書『人口論』で「人口は制限されなければ等比数列的に増加するが、生活資源は算術級数的にしか増加しない。よって生活資源は必ず不足する」と述べており、同書は人口論の古典と言われています。

これも、18世紀清朝の官僚洪亮吉（こうりょうきつ）のほうが先です。同様の人口論を主張した彼の著書『治平篇』はマルサスの『人口論』より5年ほど早く完成していました。

イブン・スィーナーも洪亮吉も、西洋人ではないから西洋の体系から外されているのです。

◉かけがえのない国・日本、かけがえのない日本文明

　その一方、幕末から明治初期に日本を訪れた西洋人の中には、「日本に西洋文明を持ち込んでも幸せになるとは思えない。すでに日本人は幸福である」と伝えた人も多くいました。

　たとえば、「日米修好通商条約」（1858年）の締結で知られる初代駐日公使のタウンゼント・ハリスはその著書『日本滞在記』で、「人々は楽しく暮らしている。食べたいだけ食べ、着物にも困ってはいない。住まいは清潔で日当たりも良く、気持ちが良い」としています。

　1873年から38年間日本に滞在したイギリスの日本学者バジル・ホール・チェンバレンは『日本事物誌』など一連の日本研究書の中で、「貧乏人は存在するが貧困は存在しない。金持ちは高ぶることなく、貧乏人は卑下することがない。みな同じ人間だと心底から信じる心が社会の隅々まで浸透している」としています。

「江戸時代」と呼ばれる時代、その社会は「侍は名誉は取るがカネは取らない、商人にはカネはあるが権限はない」という制度を採っていました。権力とカネが分離され

ていて、西洋型の民主主義よりもはるかに安定性に優れていた制度でした。

また日本では、織田信長ほどの天下取りに長けた人物でも決して天皇を殺して自ら、がその地位に就こうとは考えませんでした。さらには日本人の誰しもが、今も昔も「織田信長が天皇を殺すはずがない」と疑いもなく思っています。このこと自体が、実は驚くべきことなのです。

こうしたことはいくら説明したところで、西洋人には理解できません。西洋で言うところの合理的ではないからです。


日本文明と西洋文明とはまったく異なります。およそ4000年前に中央アジアのステップ地帯に出現してヨーロッパに拡大したアーリア人の文明＝西洋の文明と日本の文明との対立が、ある意味で「大東亜戦争」でした。

人類の歴史をむちゃくちゃにしてきたと言っていいアーリア人の文明が、植民地時代の最後に日本と衝突したのです。

正々堂々と戦っても、日本には勝てない――。そこで米大統領フランクリン・ルーズベルトは日本人を皆殺しにしろと言い、後継のハリー・トルーマンが戦争行為を止めて原爆投下という虐殺行為を容認しました。ポツダム宣言は、敗戦ではなく、虐殺に耐えられないことをもって受諾したものです。

大戦後に、植民地だった国々が独立しました。

戦後間もない1955年に開催された「第1回アジア・アフリカ会議」（通称「バンドン会議」）に日本は招待されました。

会議には日本を含むアジア・アフリカの29カ国が参加し、各国代表から「アジア民族の解放を戦争目的とした日本の大東亜宣言がなかったら、あるいは日本がアジアのために犠牲を払って戦っていなかったら、我々は依然として、イギリス、オランダ、フランスの植民地のままだった」として熱い歓迎を受けました。

日本がなければ世界は悲惨なままでした。日本は西洋文明の暴走に歯止めをかけたのです。

力の序列ではない文明、人間一人ひとりを偉いとする文明を持つ大国は日本だけでした。

*

日本はあらゆる意味と事実において独特です。約1万年前に始まる新石器時代の日本から考えれば、メソポタミアや中国よりもはるかに古く、おそらくは世界最古の文明を誇ります。

日本人のＤＮＡに類するＤＮＡは他のどの民族にもありません。日本語もまた、言語学的に見て世界から独立しています。日本は「かけがえのない国」なのです。

しかし残念ながら、日本の教育、政治、メディアなどでは「日本は遅れている。西洋を見習うべきだ」という思想が主流となっています。

本来であれば、歴史学者や政治学者の方々にこの状況を打破していただきたいところですが、そういった動きがない今、科学者である筆者が西洋文明と日本文明を比較・検証し、日本が「かけがえのない国」であることを証明していきたいと思います。

これから本書でお話ししていくように、世界の未来は、我々日本人の在り方、考え方、生き方にかかっていると言えるのです。

武田 邦彦

かけがえのない国

目次

第1章 役割と平等

男女の役割から見る、日本人の公平性

第2章 心と思想

西洋人が驚愕する、日本人の道徳心

第2部 「壊す歴史」の西洋、「つくる歴史」の日本

第3章 西洋の歴史
「破壊」とともに歩んできた西洋文明

第4章 日本の歴史

「創造力」を大切にしてきた日本文明

第5章 日本の特長

豊かな自然が生んだ、唯一無二の国・日本

あとがき～実は、とても科学的な「日本文明」

序章

日本に「サステナビリティ」は要らない

サステナビリティや石油枯渇説の裏にある「恐怖ビジネス」

「サステナビリティ」（Sustainability）という言葉をよく聞くようになったのは、ここ10年くらいのことでしょうか。

「持続可能性」などと訳され、具体的な意味としては、「自然環境や人間社会などが長期にわたって機能やシステムを失わずに、良好な状態を維持させようとする考え方」とされているようです。

しかし、サステナビリティという言葉がスローガンとして表れるのは意外に古いのです。

１９８４年に国際連合（国連）に設置された「環境と開発に関する世界委員会（ＷＣＥＤ、World Commission on Environment and Development）」が１９８７年に公表した報告書「Our Common Future（我ら共有の未来）」の中で、「Sustainable Development（持続可能な開発）」として初めて登場しました。

外務省のウェブサイトなど公的なところでは、「将来の世代の欲求を満たしつつ、現在の世代の欲求も満足させるような開発」と解釈されています。

WCEDの報告書の第1章「未来への脅威」には、「酸性雨、熱帯林の破壊、砂漠化、温室効果による気温の上昇、オゾン層の破壊等、人類の生存の基盤である環境の汚染と破壊が地球的規模で進行している。この背後には、過度の焼畑農業による熱帯林破壊に見られるような貧困からくる環境酷使と、富裕に溺れる資源やエネルギーの過剰消費がある」と書かれていました。

今流行りのサステナビリティですが、持続可能な社会を長年続けてきているのが日本という国です。

ですから我々に必要なのは、日本文明の素晴らしさを再発見し、現代に合わせて運営していくこと——。欧米主体の世界基準に合わせる必要はありません。

これから持続可能な社会を構築してきた日本文明を西洋文明と比較しながら検証していきますが、本題に入る前に、本章では頭の体操としてサステナビリティに関連する多くの〝嘘〟について論じていきたいと思います。

＊

さて、このサステナビリティという言葉が１９８０年代に登場したというのがたいへん面白いところです。

実は、筆者はＮＨＫに騙されて原子力の研究者となったのです。

１９７０年代、１９７３年と１９７９年に「オイルショック」がありました。原油の供給量が逼迫（ひっぱく）しているという理由で価格が急騰し、世界経済が大きく混乱したという事象です。

「あと30年で石油は枯渇する」とＮＨＫのニュースをはじめ、朝日新聞などでも盛んに報道されました。当時はＮＨＫなどの大手メディアが嘘など言うはずがないと思っていましたから、「エネルギー研究の未来は、原子力にある」と判断したのです。

「あと30年で石油は枯渇する」という話は、１９７２年に発表されて当時たいへん話題になった『成長の限界（The Limits to Growth）』という、マサチューセッツ工科大学の研究者Ｄ・Ｈ・メドウズらの研究発表がもとになっていました。

ただし原典を確認してわかったのですが、メドウズは「あと30年で石油は枯渇する」とは書いていません。彼は、あくまでも現在の状況と技術から計算したものに過ぎず、正しいかどうかは別の話であるとした上で、「もしもこのまま新たな油田なども発見されず、採掘技術の進歩もないのであれば、供給は30年で限界を迎えるだろう」としただけです。

また、金利をはじめとする資金管理の理由から、石油会社は30年から40年を単位として経営計画を立てるのがセオリーです。「30年」というのは、そういう数字でした。オイルショックを招くことになった原油供給量の逼迫という話は、「セブン・シスターズ」というニックネームで知られる石油メジャー7社が原油価格を維持する、あるいは利幅を上げるために行った情報操作でした。

ＮＨＫや朝日新聞はそれを知っていました。逼迫が言われ始めた当時の国連事務総長のウ・タントのバックには石油資本がありました。

そして、原油供給量の逼迫は嘘であること、石油は当面なくならない、ということが明らかな常識となったのが、サステナビリティの登場を控えた１９８０年代でした。

石油の埋蔵量は一般的には今後１０００年分は大丈夫だと言われていますが、筆者の計算では現在の人間が消費する資源量からして、短くてもあと1万年分以上はあります。

こうした、たとえば石油が枯渇するという危機を煽って新たなサービスや商品を売り出したり、テレビの視聴率や新聞の購買数を伸ばしたりすることを「恐怖ビジネス」と言います。

そして、石油をはじめとする化石燃料の枯渇は嘘だとわかってしまった結果として、枯渇の恐怖に代わって１９８０年代の後半に登場したのが、サステナビリティの一環として取り上げられる環境問題、具体的には「地球温暖化問題」という恐怖ビジネスでした。

化石燃料の枯渇はなく問題にならないのであれば、今度はそれを継続的に燃やすことによって出てくるCO_2を問題にしよう、という流れだったのです。

地球温暖化問題の嘘と自動車産業の腹の内

石油枯渇説が嘘であったように、地球温暖化もまた嘘であり、フェイクニュースによって問題とされ続けているだけです。

地球温暖化には、事実が2つあるうちの片方だけを報道することによって人々に間違った印象を与える、というテクニックが使われています。いわゆる「報道しない自由」です。

地球は非常に広い。どこかに必ず、気温が例年よりも寒い場所、例年よりも暑い場所があります。

地球温暖化を報道したければ話は簡単で、例年よりも暑くなった場所について伝えればいいのです。

2020年の2月のことですが、南極半島で最も南アメリカ大陸に近い位置にあるシーモア島で南極観測史上初めて最高気温が20度を超えた、という出来事がありました。ＮＨＫをはじめ各テレビ局、各新聞社は温暖化傾向を明示するものとして盛んに報道しました。

ところが、南極では、２０１８年7月に衛星測定によって地球上における史上最低の気温マイナス97・8度が記録されていました。しかし、これについてはほとんど報道されませんでした。

南極付近の最高気温だけを大きく報道し、最低気温を黙殺すれば、地球温暖化が進んでいるという印象を与えることができます。つまり、「事実が2つあるうちの片方だけを報道することによって、人々に間違った印象を与える」というテクニックが日々、メディアで展開されています。

日本国内についての報道も同様のことが行われています。夏になれば最高気温が繰り返し報道されます。昨年の記録を上回った地域を一生懸命に探し出します。だから「年々、地球は暑くなっている……」という理屈でしょうが、これは印象操作に過ぎません。

日本近海、あるいは日本列島でここ数年気温が高くなっていることは確かです。しかし、同程度の緯度に位置するアメリカのサンフランシスコやロサンゼルスでは真夏の時期、20度前後の気温になります。日本のように30度を超える地域もあれば、それほど気温の上がらない地域もあるわけです。

現在、日本の気温が高いのは地球温暖化のせいではありません。太平洋の海水の回り方の事情で、日本近海がたまたま暖かくなっているのです。時間の経過によって以前の状況に戻ることでしょう。

地球温暖化とは、マスコミの報道によってつくり出されている偽物の問題です。そしてその背後には、各国の政治的な計画があります。

たとえば、「地球温暖化問題を今最も有効に活用しているのは、自動車産業である」と言うことができるでしょう。

２０２２年11月、国連気候変動枠組条約第27回締約国会議（ＣＯＰ27）で、「Accelerating to Zero Coalition（Ａ２Ｚ Coalition、ゼロに向け加速する連合）」という取り組みが採決されました。

ゼロエミッション車（環境を汚染したり、気候を混乱させたりする廃棄物を排出しないエンジン、あるいはモーターで動く自動車）への移行を世界的に実現するための取り組みです。

ゼロエミッション車の中に、電動車ではあるもののガソリンも燃料として使うハイブリッド車は含まれません。

日本は2035年までに新車販売のすべてを電動車にするという目標を独自に立てていますが、この「電動車」にはハイブリッド車も含まれています。つまり、A2Z Coalitionの取り組みには合致していないのです。そのため、日本は今のところ、A2Z Coalitionには署名していません。

A2Z Coalitionには214の国や自治体、自動車メーカーが署名していますが、日本と同様の理由でアメリカや中国、ドイツなども署名していません。

地球温暖化問題は、マスコミがつくり出している偽物の問題であると同時に、世界の自動車産業の構図の再編成を狙う勢力が意図的に利用している戦略ツールでもあるのです。

環境破壊論のフェイクニュース例「環境ホルモン」と「ダイオキシン」

地球温暖化のようなエセ環境破壊論は、今までに、いくつもの論が現れては消えていきました。たとえば、「環境ホルモン」と「ダイオキシン」の騒動です。

環境ホルモンとは、環境中に存在して生体に入るとホルモンと似た作用をして生殖機能などに悪影響を与える（精子が減る、オスがメス化するなど）と考えられた化学物質の総称でした。

科学の進展によってもたらされた「新しい形の公害」といったとらえ方をされるなどして話題を呼んだものです。

環境ホルモンの提唱者はアメリカの女性環境活動家シーア・コルボーンで、1997年発刊の複数著者との共著『奪われし未来』（日本語訳）はベストセラーとなりましたが、環境ホルモンに関する第1回の研究会からマスメディアが招待されていました。初めから普通ではなかったのです。

環境ホルモンは途中で、科学から完全に外れました。提唱者のグループが、「測定できない濃度の環境ホルモンが、生体に影響を及ぼす」としたからです。「測定できないほどの濃度の物質」が生体に影響を及ぼす可能性が大きいことは確かでしょう。しかし、それは科学ではありません。

測定できないのであれば、それはすなわち「科学的な実証の方法がない」ということだからです。実証されない間は、結論を出さないのが科学というものです。

ダイオキシンは、塩素系の成分を含む物質や製品などを燃やした時に発生するとされる物質で、環境ホルモンの一種だと言われていました。

・1976年にイタリアの都市セベソで起きた農薬工場の爆発事故で家畜が大量死したのは放出されたダイオキシンが原因とされた、

・2004年のウクライナ大統領ユーシェンコの突然の重病は、ダイオキシンを盛られたことが原因とされた

・ベトナムの結合双生児「ベトちゃん・ドクちゃん」はダイオキシンによる奇形といったことが盛んに取り沙汰された。

ところが今では、セベソの件は取材なしの報道、ウクライナ大統領の件は塩素系農薬が原因、そしてベトナムの結合双生児は、遺伝疾患だったことがわかっています。

ダイオキシン騒動が頂点にあった2000年頃、筆者は関係する論文や書籍を綿密に調べました。その調査結果は「人についての被害報告がどこにも見られない」ということでした。

結合双生児の件をはじめ、人間に対するダイオキシン被害の報道は、ヒステリックな社会的反応に対して、科学が事実を示すことを怠ったためにエスカレートしたものでした。

その証拠にダイオキシンの報道がなくなった以後は、ダイオキシンの患者は出現していません。ダイオキシンは報道がつくり出した〝架空の毒物〟だったのです。

「日本には資源がない」と嘆く必要はない

大手メディアでは、日本は「資源のない国」と言われています。日本では石油も採れないし、鉄鉱石も出ないから資源がない、というのです。エセ環境破壊論とは離れますが、これもまた科学的ではない、まったく正しくない言い方です。

昔は石炭の山を持っていれば、資源がある、ということでした。石炭の山があれば、あとはツルハシと人夫を用意すればよかったのです。ツルハシはどこの国にもあり、人夫はどこの国にもいます。石炭の山があるかないか、が問題でした。

しかし、今はそうではありません。旧来の石炭の露天掘りですら、その国際競争力は石炭の掘削技術に左右されるのです。ましてや石油のように地下深く掘って獲得するもの、または、シェールガスのように地下3000メートルの世界を相手にする資源ならなおさらです。

つまり、ある国の地下に油田があったとしても、その国に大深度の掘削技術がなければどうにもならないのです。シェールガスについても、いわゆる途上国にはいくらでもあるのですが、それを掘り出す技術がそれらの国にはありません。

実は、資源自体は世界にだぶついているのです。

ですから現在では、「資源国」とは資源を持っている国ではなく、資源を掘削する技術を持っている国のことを指します。そして、世界に通用する、つまり資源をビジネス材として通用させる技術を持っている国は現状、アメリカとドイツ、そして日本のみと言っていいでしょう。

オーストラリアは資源を豊富に持っている国であり資源国と呼ばれますが、資源を掘削する技術を持っていません。もしもオーストラリアがツルハシと人夫を使って石炭を掘るとすれば、その石炭の価格は世界相場の倍ほどになりますから競争力を持たずビジネスになりません。

つまり、そこに日本の高度で、安価な技術がなければオーストラリアから石炭は出てきません。鉄鉱石でも石油でもシェールガスでも同じことです。

日本は資源国ではないというのは、科学的な発想を持たないからでしょう。こう言っては叱られるかもしれませんが、文系のアタマで考えたまったくの的はずれな見解です。今でもまだ人夫がツルハシを使って掘っているのか、と笑われても仕方がありません。

日本には、高度な技術があります。それは、油田に匹敵する資源です。それを資源とみなし、国際社会に存在感を示すためには、こうしたアタマの使い方の転換が必要なのだろうと思います。

＊

サステナビリティが「自然環境や人間社会などが長期にわたって機能やシステムを失わずに、良好な状態を維持させようとする考え方」ということであるならば、古来、日本ほどそう考え、実際にそうしてきた国は他にありません。

ですから、日本に西洋が主張しているようなサステナビリティは要らないのです。反対に、今こそ世界が日本の文明、社会のシステム、心の在り方を必要としているのです。

第1部

最も古くて、最も新しい「日本文明」

日本は、少なくともお隣の中国大陸よりも長い文明の中にあるということを簡単な数字でお話ししておきましょう。「世界四大文明」という言葉がありますが、これは中国人が「紀元前5000年ぐらいから黄河に文明が発達し、それが成熟して中国以外の他国に影響を及ぼした」と主張するために中国人自らがつくり出したプロパガンダでした。

日本の縄文時代の始まりは紀元前1万4000年、つまり1万6000年前に遡れることが考古学の研究調査でわかっています。稲作でさえ、8000年前の日本ですでに行われていて、黄河文明そのものの発祥よりも古いのです。日本は、古来、常に先進の文化と技術を紡(つむ)ぎながら、世界に冠(かん)たる長い歴史を積み重ねてきました。

しかし日本人の多くは、日本の文明は中国からやってきたという誤解、そしてそれ以上に、日本よりヨーロッパのほうが優れているという誤解の中にいるようです。

第1章

役割と平等

男女の役割から見る、日本人の公平性

オスとメスの「分業」によって進化してきた哺乳類

物事には、「男性にしかできないこと」と「女性にしかできないこと」があります。そうした男女の分業の仕組みを古来、社会において構造的に確立してきたのが日本でした。

この男女の違いということを科学的に考えてみることにしましょう。日本の男女の在り方というものがどれだけ摂理にかなったものであるか、おわかりいただけることと思います。

生物はそもそも「両性生殖」でした。一つの体の中に精巣と卵巣があるということです。今も両性の生物は存在しますが、およそ12億年前に、精巣を持つものと卵巣を持つものの2つに分かれました。オスとメスの誕生です。

魚類、両生類、爬虫類、そして爬虫類の亜流として鳥類がいるわけですが、これらの脊椎動物のほとんどは産卵で世代をつなぎます。一部には卵を産み落とさず、メスの体内に卵が保持されたまま子を産む形をとる卵胎生の生物もいますが、卵を産んで世代をつなぐ生物の大方は、メスが卵を産み、生まれた卵についてはオスとメスが協力して育てる、という形をとります。

子が生まれるまでには、さまざまな危険が伴います。まず卵は温める必要があります。つまり、世話の仕方によって孵化（ふか）する卵も孵化しない卵もある、ということです。卵は動けないので外的に襲われる危険があり、常に守ってあげなければなりません。

最近、遺伝子解析の進歩で、卵生について興味深いことがわかりました。

「おしどり夫婦」という言葉があるように、一般的に鳥類のつがい（夫婦）は仲が良い、とされています。確かに鳥類のつがいは一生涯を添い遂げると言われており、観察していると、共同で営巣したり、つがいで協力して子育てをしたりする様子が見られます。

鳥類のつがいは仲が良い、というのは客観的な事実としてその通りなのですが、これを遺伝子レベルで検証してみると、なんと卵の遺伝子の3分の2は他のオスの遺伝子で構成されている場合がある、ということがわかりました。

メスのほうがいわゆる不倫をして、共に営巣したオス（夫）以外の卵を抱卵して育てることがあるようなのです。この場合、オスは自分以外のオスの子を育てることになります。

また、カッコウのように卵を預ける、つまり托卵して他の鳥に抱卵させ、子を育てさせる鳥もいます。自らの遺伝子を後継させるという意味では、卵生には、そういった不確実な部分もあるようです。

私たち人間を含む哺乳類の場合、体外に産卵せず、胎児を胎内にとどまらせ続けます。これはつまり、卵生の場合に存在する、卵が孵化するまでの、抱卵や外敵からの防御などの手間やリスクを抑えることができるようになった、ということです。

さらに言い方を変えると、「哺乳類は受精から出産までのリスクをメスに受け持たせることで、胎児を確実に成長させることに成功した」ということです。哺乳類のメスは、子宮や乳房を持つ特別な存在となりました。

胎児はメスの胎内で栄養を受け取りながら成長していきます。このメカニズムにはウイルスの存在が大きく影響していると言われていますが、この胎盤の働きによって哺乳類の子は成長します。

ただし、胎盤内の胎児は、母体からすればあくまでも異物です。免疫系の作用によって人間の体は異物を排除しようとします。妊娠初期に「つわり」という症状が現れることがあるのはそのためです。

体内の異物である胎児を母体が受け入れきれないために起こる症状で、胎児が成長するにつれて母体と胎児の関係が安定し、やがてつわりの症状も落ち着いてきます。そして無事出産した後、メスは、母乳を子に与えて成長を助けます。

卵生の動物には抱卵をはじめとするオスとメスの共同作業が必要であり、その分、卵が無事に孵化する確率が低くなります。卵は親の体外に出てしまっていますから常に親とともにあるわけではなく、他の動物たちの絶好の捕食対象ともなります。

胎盤の中で胎児を育て、出産後は母乳を与えて育てることによってこうしたリスクを低減し、確実に世代を継ごうとしたのが哺乳類という動物なのです。

「男子厨房に入らず」は、女性の役割を讃えたもの

人間の場合、男女協同の子育ての技術や仕組みはかなり進んできています。最近では、ビル・ゲイツも投資対象としているということで「ＢｉｏＭｉｌｑ」（バイオミルク）と名付けられたアメリカの人口母乳が話題になっていました。

胎児を宿して出産することはメスにしかできず、母乳を与えることもまた本来はメスにしかできない作業です。

人間の場合は特に、生まれた子供を抱き温めて慈しみ、授乳の際には子供が母親の乳首に吸い付く、この時のコミュニケーションがたいへん重要です。

母親の感情を通して言語を身に付けていく過程として、子供の成長になくてはならないものなのです。

この時期の女性の脳はおのずと愛情深くなり、感情が細やかになり、言語能力も研ぎ澄まされている状態となります。

全身全霊を込めて、子供を身ごもり、守り、育み、出産し、お乳を与えて慈しむ女性の能力は男性にはない能力であり、一連の作業は女性にしか決してできないことです。

一方、男性は筋肉をつけ、俊敏な動作と論理的な思考力を磨き、女性と子供を全力で守ります。

哺乳類には、こうしたオスとメスの分業によってこそ進化してきたという生物学的な背景があります。

古来、日本ではこうした男女の特性に見合った棲み分けが行われていました。日本人には、「男と女では役割が違う」という共通認識が根底にありました。それぞれの役割によって男女が合理的に日常生活を送れるよう、社会的な分業が確立され続けてきたのです。

本来、男性は力が強く、乱暴です。だから、外敵から家族や仲間を守る戦闘的な仕事、農業や狩猟、モノを生み出す仕事や鍛冶などの力仕事を行います。これが男の役割というものです。

それに対して、女性は家庭の全権を持っていました。

女性は男性をサポートしつつも管理します。子供を慈しみ育てながら、男性が効率良く仕事ができるよう合理的に家庭を運営します。

「男子厨房に入らず」という言葉は、性差別などといったこととは関係ありません。「夫の好きなものをたくさん食べさせてやる気を出させる」「仕事で嫌なことがあってむしゃくしゃして帰ってきても、楽しい思いをさせていい方向に持っていく」など、夫に毎日気分良く仕事をさせて出世させるように盛り立て、稼ぎをしっかり管理して家庭を采配するといった女性の役割を讃えたものです。

夫の仕事の出来具合は、すべて妻の采配次第です。日本女性の社会的な役割は、家庭内においての「社長」のようなものなのです。

亭主の出世は、女房の知恵と采配次第

戦前の日本には「家制度」がありました。1898（明治31）年制定の民法で規定され、1947（昭和22）年に廃止されました。家制度とは、家を単位として1つの戸籍をつくり、そこに所属する家族を戸主が統率する仕組みです。

家制度の下では、結婚するには戸主の同意が必要でした。戸主を引き継ぐことができるのは、原則的に長男です。

廃止されはしましたが、この家制度には合理的な部分も多々ありました。

一例として、「家」の中で妻は「おかみさん」と呼ばれ、実質的に全権を掌握していました。家の責任は戸主である男性が受け持ち、前述したように家の運営は女性に委ねられていました。家の内と外の仕事を妻と夫で分業するのはとても合理的です。会社を想像してみればおわかりでしょう。

そして、「家のことは妻に任せて、遮二無二に働く」というのが男の美徳でもありました。

現在の日本社会には、こうした面がたくさん残っています。「かかあ天下」や「亭主関白」という言葉も死語とは言えません。やや自嘲的ではあるにしても、家庭の平和を表す喜ばしい表現として今も盛んに使われます。

幕末に、三遊亭円朝が即興でつくったとされる「芝浜」という古典落語の名作があります。

大酒飲みだった魚屋の亭主が、女房の知恵と采配で立ち直って出世する――という話です。古典落語には、こうした妻が主導権を握ることで夫が成功する話がたくさんあります。

夫婦にはさまざまな形態があり、夫婦の個性はそれぞれに表れるものでしょう。ですが、日本は古来、「男は家族のために黙々と働き、女は男を上手に操って稼がせる」でやってきたのです。大枠では今もそれは変わりません。

「絡合力」から結婚制度を考察する

「絡合(らくごう)」という言葉があります。『絡合力』(ビオ・マガジン)という本を2022年に出版するなどして、私が今たいへん興味を持って研究を重ねているテーマです。

「絡合」とは「互いに絡(から)んでもつれ合う」という意味です。「絡合力」とは、本来「素粒子から生物に至るまで、宇宙にあるすべてのものにはつながり合おうとする力がある」という意味です。

私はこの「絡合力」こそ、これからの世界が注目していかなければならない力だと考えています。

元々人間は、「個」で生活することはできません。ですから、夫婦が基本です。人間以外の動物の生活の最小単位も「個」ではなく、オスとメスのつがいです。

地球が誕生してから約46億年、生命が誕生してから約37億年、そして約12億年前にオスとメスができました。

オスとメスができる以前、生物は単純な分裂を繰り返して自己増殖していました。オスとメスに分かれたことで、生物は、オスないしメスが持つ遺伝子の良いところを取り込み、あるいは足りないところを補い合って、新しい生命体を生み出すようになりました。

オスとメスに分かれたからこそ、劇的に変化していく環境に適合することができる生命体をつくり上げる遺伝子の組み立てが可能になったのです。

より強い遺伝子を生み出すためには、オスとメスが互いに力を合わせなければなりません。生命の基本は、オスとメスがそこにいる、ということにあります。「人は結婚して一人前」という、今でこそ古めかしくて反感さえ買いそうな言い方の本当の意味はここにあるのです。


「なぜ結婚するのか?」という問題は、一見とても難しく、そう簡単に結論が出るようなものではないように思われがちです。

科学の視点を少し離れて、筆者が生きてきた、その経験則からお話をしてみましょう——。

結婚は何のためにするのかと聞かれれば、筆者は「それは相手を幸せにするためだ」と答えます。夫が妻を、妻が夫を幸福にするために人は結婚するのです。少なくともその目的の8割は、配偶者を幸福にするために結婚します。

この世に生を受け、私たちは、親の手で一生懸命に育てられました。その恩を受けて、私たちは次の世代をつくります。

親の恩に報いるために、夫婦というものは相手を幸福にしようとしてお互いに頑張るのです。

そして、これが「絡合」ということです。互いにつながり合う関係の中で、自分以外の人間を幸福にするということほど素晴らしいことはありません。

もちろん、結婚だけが「絡合」ではありません。前述の通り、人間は「個」では生きられません。「群れ」で生きるのです。夫婦が基本単位ではありますが、たとえ独身であっても、群れ（社会）の中で他者と触れ合い、自分自身の役割をまっとうすればいいだけです。

夫婦の間に子供が生まれれば、夫も妻も家族3人の幸福のために全力で頑張ります。

そして3人家族から4人家族へというふうに、結婚とは、家族の幸福の数を増やしていくものです。

もちろん子育てはたいへんな仕事で、特に母親の負担には父親が想像する以上に大きいものがあります。そうしたことを家族で助け合い、困難を乗り越えて、幸福があります。妻も夫も子供の成長を喜び、その喜びを糧に日々努力することが、次の世代の幸福を用意します。

自分以外の人間の幸福こそを自分の幸福だとすることを、「それでは自分というものがないではないか」として認めない人がいます。特に戦後、欧米型の個人主義が教育の現場でもはびこり、「自分というものを探し出すことこそが人間の幸福ではないか」と考える人も少なくないようです。

私たちは「自分探し」をしてみたくなるものです。しかし、この「自分探し」で探し出したい「自分」とは何でしょうか。おそらくは経験や知識の蓄積の中から浮かび上がる理想像としての自分、ということなのだろうと思いますが、それはあくまでも「像」であり、どこにも実在できないものです。

自分以外の人間をどうすれば幸福にできるのかを一生懸命に考え、行動に移し、それが実現した時に自分が得られる喜びは格別です。その喜びこそが実在する自分であって、人を幸福にするために生きることが本来の「自分探し」というものなのだろうと思います。

詳しくは拙著『絡合力』に書きましたが、人間の脳は、利己的な「大脳新皮質」と、利他的な「伝統脳」からできているのです。

一人で旅行に行って美しい景色を見てもその喜びは限られます。自分の家族と分かち合う景色の美しさ、家族に限らず多くの人々と分かち合う景色の美しさのほうが喜びは大きいものです。

人間は生物学的に「自分のため」ではあまり力は出ず、「みんなのため」のほうが意外な力を発揮します。技術の進歩、あるいは経済発展というものも、心の問題が大きく影響しています。

日本人は古来、「みんなのため」が常に頭にあることを「道徳心がある」とし、この道徳心を大切にして生きてきたのです。

時代とともに変わりゆく、男性の役割

37億年ほど前に地球上に生命が誕生し、5億5千万年ほど前に形を持った生物、つまり足や目を持った生物が誕生します。

その後、「自分だけが生き残る、自分の種族だけが繁栄する」という原理原則をもとに遺伝子が複雑になっていきました。こうしてヒトという生物が誕生していくわけです。

「自分だけが生き残る、自分の種族だけが繁栄する」という原理原則に、哺乳類はオスとメスに分かれることによって対応しました。

オスとメスに分かれるということは、「オスないしメスの、遺伝子のいいところを取り込んで世代をつないでいく」ということです。そうすることで、「力の強いほうが残る」という原理原則に応えていったのです。

オスとメスは互いに助け合って子孫を残します。これは「個体」ではなく「種」の繁栄につながるものでした。種を残すために、個体は「群れ」を成します。群れを成すのは、より強い遺伝子を持つ個体を守るためです。種を残すために生物は、助け合って生活します。

つまり生物は群れを成して生きることが前提です。とはいえ、群れの構成の在り方は、それぞれの種の特性によって異なります。

人間は、200万年ほど前から火を使うようになりました。火を使うというのは反本能的な行為に他ならず、火を使うようになってから人間は生物としての本能が衰えていくことになるのですが……。

それはさておき、人間はその後、道具を開発したり、狩猟に加えて農業の規模を大きくしたりして生活様式を変えていきました。そうした流れの中に現代人の生活があります。

食料を得る方法として狩猟が中心だった時代、あるいは地域では、その仕事の中心的な役割を担うのは男性でした。力の強い男が重要で、その立場も高い位置にあっただろうことは想像できます。男性が食物を獲得して女性を養い、女性は男性に尽くすのです。

人間の生活形態が、いわゆる人間の英知から生まれた便利性や合理性によって変化していくにつれ、社会の中での男女の役割分担が不明瞭になってきたということはあるかもしれません。

そもそもオスの役割は、えさを獲ることであり、メスを守るために外敵と戦うことであり、メスに精子を提供して遺伝子を組み合わせることです。

多くの動物においては、オスはメスよりも体が大きく、角が生えていたり、牙が大きく伸びていたり、たとえばライオンのオスが鬣（たてがみ）を持つように「威厳」というものを帯びたりします。

人間の場合も、特に狩猟の歴史が長い地域では、とにかく男性に強さが求められる傾向がありました。

しかし、狩猟から農業への転換が起き、狩猟技術の進歩などが起これば、社会秩序全体を守るために戦うということもまた重要な仕事になり、力の強さだけではない、それ以外の能力も求められるようになります。

社会秩序全体を守るための戦いの一つが「戦争」です。

現代において戦争は、殺戮能力が一段と高まった兵器による大量殺戮が可能になっています。兵器の破壊力だけをとってみれば、人類という種の存亡をも左右してしまいます。

高度な技術を使った兵器によって現代の戦争は、男性の在り方を大きく変えました。男性が屈強であったり勇猛果敢であったり、身体が大きく力が強かったりする必要はなくなりつつあります。

極端に言えば、男性の役割は精子を提供することだけとなる方向へと進みつつある、と言えるかもしれません。世の男子たちの悩みは深いと言えるでしょう。

尾崎豊という、1992年に26歳で亡くなったシンガーソングライターがおられました。有名なヒット曲の一つに『15の夜』という曲があります。

『15の夜』の歌詞は、15歳を迎えた男子の、将来に向けた不安に満ちています。「落書きの教科書と外ばかり見てる俺」……現実に向き合えず、目標を持てないでいる。「自分の存在が何なのかさえ解らず震えている」……不安定な自分をどうすることもできないでいるのです。

「盗んだバイクで走り出す」……衝動を爆発させる以外になく、「自分は何をすればいいのか?」と問い続けます。

『15の夜』は、現代の男性の状況を実によく表している曲であるように感じます。生んでくれた母親に感謝し、自分を育ててくれた家庭と社会に感謝し、それらを守るために戦っていたのが古来の男というものでした。

誤解を恐れずに申せば、現代の日本には戦争がなく、命を懸けて国を守るという状況がありません。

非婚化が進んでいるということは、守るべき家族というものを持たない人が増えているということでもあります。

比喩としての、言葉の上での戦いということはあっても、実際に倒し倒されるということは稀です。現代は、自分は何のために生きているのかということを男性が掴みづらい時代であることは確かでしょう。

紫式部や清少納言など女流作家が活躍した平安時代

男女の関係は、国や地域それぞれの気候によっても変わってくるものです。

南洋の実り豊かで漁場にも恵まれたような地域では、男がだらしなくてあまり働かないという光景もよく目にします。生活物資があふれているので、男の手を借りなくても女たちだけで日常生活が営めるのです。

食事の世話から家族の世話などすべて女たちだけでできるので男の出る幕がありません。女性は女性だけで社会をつくり、男性が添え物のようになっている地域もあります。

その点、日本の気候風土はちょうどいいと言えるのかもしれません。基本的に、男は外で働き、女は内（うち）（家）を守る。自然を相手に男性と女性が協力しながら、非常に穏やかな男女関係を育んできたのです。

平安時代頃までの日本文化の歴史を見ても、この傾向が残されていることがわかります。日本は西洋のような男性が優位な社会ではありませんでした。

男性の仕事は軍事、農耕など限定的なもので、文字の使用についても漢字に限定されていました。

対して、女性はかなり自由でした――。

軍事とは戦争に行くことですが、当時「防人（さきもり）」という労役がありました（九州沿岸の防衛のため設置）。これは男性のみに課された義務です。戦争に行くということは、命を落とす場合があるということを意味します。

農耕も男子の仕事でした。当時はもちろんトラクターや稲刈り機などはなく、農業技術も未成熟な時代です。農具に鉄器が登場する以前、田起こしは特別たいへんな仕事であり、効率も悪くて手間もかかる重労働でした。「男」の字そのままで、「田」で「力」をふるうのは男性の仕事だったのです。

出征や田仕事に労力を使う男性は、長生きできませんでした。体力を消耗して早く亡くなるのが一般的で、女性の寿命のほうが長いのは昔から変わらないことだと言えます。

日本は古来、公文書の記録においては漢字が義務付けられていました。そのため、漢字を使うのは男性という文化となったのです。漢字は「真名（まな）」と呼ばれ、これに対して「仮名（かな）」である平仮名や片仮名は女性文字とされました。

仮名は日本人が発明した日本独特の文字です。仮名文字の発明でプライベートな文書が活発につくられるようになり、日本では文学が盛んになっていきます。

元々和歌は盛んにつくられていましたが、物語文学や日記文学が平安時代の貴族社会で全盛期を迎えます。西暦1000年前後に成立した紫式部の『源氏物語』は、世界最古の小説と言われています。

『源氏物語』をはじめ、日本の物語作家は女性が中心でした。イギリス初の女流小説家といわれるアフラ・ベーンの登場に先立つこと約700年です。しかしアフラ・ベーンが小説を書くのは夫が亡くなってから22年後であり、当時のヨーロッパは女性の地位がある程度上がってきたとはいうものの、離婚したり死別したりして男性の支配から解かれない限り小説が書けないという状況でした。

つまり、日本の女性は世界のどこよりも自由だったのです。日本の社会は紫式部や清少納言の活躍を容認する、女性の権利があった社会でした。

また、源平合戦の木曽義仲に仕えた巴御前は、後の歴史物語などで、美貌の女武者として有名です。武勇に秀でた女性として描かれていますが、巴御前はけっして「女だてらに」という扱いをされることはありません。

鎌倉期の板額御前や、小田原征伐で豊臣軍と戦った忍城の甲斐姫など、歴史上で女武者として名の知られた人物はたくさんいます。

嫡子のみによる家督相続制度が江戸時代に定められるまでは女性にも相続権がありましたから、戦国時代の井伊直虎のように大名になった女領主もいました。

前述したように農耕は力作業ですから男性の仕事でした。ですが、農作業は女性も手伝っていました。仕事ということについて、女性はオールマイティーな立場にいたのです。

日本では、ヨーロッパや中国のように女性が差別的な扱いをされず、どちらかと言えば男性のほうに制限があった社会でした。

衣食住など、家のことはすべて妻が管理

家のこと、特に衣食住に関しては妻が管理することになっていました。たとえば、「衣」です。江戸時代の武士は自分の衣服のある場所すら知りませんでした。妻は用意した着物を着せて夫を仕事場に送り出しました。どこに出しても恥ずかしくないように、との配慮からです。

子供の世話についても同じことでした。とにかく家庭内のことは女性がすべて管理していたのです。

「食」に関してはもっと極端でした。先にも挙げた「男子厨房に入らず」は、ヨーロッパなどでは「夫のほうが偉いという意識があるので、男は台所仕事などしない」という解釈となりますが、日本では「妻に対する尊厳が高いので女性の仕事に男は口を出してはいけない」という意味になります。

江戸時代、妻を亡くして身のまわりを女中に任せていたある旗本が、その女中が暇を取って実家に帰っている間、「男子厨房に入らず」を徹底して餓死してしまった、という逸話も残っています。

女性が食事をつくるのは「女の義務」だと考えるヨーロッパと、「女の権利」だと考える日本とではやはり大きな違いがあると言っていいでしょう。

「住」についても同じことです。家を建てるのは夫の役割ですが、「おかみさん」＝「山の神」という言葉もある通り妻が家の運営の中心になります。侍の家は別にして、日本の家は夫の部屋というものはない造りになっていました。

現代の感覚で言うと、夫は妻から派遣される「派遣労働者」です。着るものからスケジュール管理からすべてのマネージメントを妻にやってもらい、夫は外に出て少しでも合理的に仕事を進めることに身と心を尽くします。そして賃金は全額を妻に渡すという、世界的に珍しい慣習が日本には生まれました。

「夫婦は運命共同体である」という共通認識があるからこそ、日本社会の男性と女性は、それぞれに違う受け持ちの分野があるということを大事にしてきたのです。

自然をありのままに観察する日本人

西洋人と日本人で明らかに異なることの一つに、「日本人は自然をありのままに観察する」ということがあります。

日本人は古来、自然をつぶさに観察し、そこから導き出される原理に忠実であろうとしてきました。

そして、そうした日本人の自然に対する態度は、実に理にかなっているのです。

日本の神話には、日本人の伝統的な自然観が描かれています。

『古事記』と『日本書紀』、いわゆる記紀に、イザナギ・イザナミの国生み神話が載っています。イザナギ・イザナミは日本列島を産む夫婦の神様です。

夫婦は、女神であるイザナミのほうがまず相手を誉め、次に男神のイザナギがイザナミを誉めて性交の儀式を行うのですが、最初に生まれたのは「ヒルコ」と呼ばれる奇形の子供でした。

『古事記』では、イザナミが「女性が最初に誉めるのは良くない」と言ったにもかかわらず儀式を行った結果、ヒルコが生まれています。

『日本書紀』では、イザナギとイザナミから相談を受けた高天原の神様が占いをして、「女性であるイザナミが先に声をかけたのが良くないようである。やり直しなさい」とアドバイスします。

実際に自然界において、メスのほうが積極的すぎると形態異常の子が生まれやすいということが生物学的な分析で指摘されており、人間以外の哺乳類や節足動物などでも見られる傾向です。

長い年月をかけて自然をありのままに観察して得た情報が、記紀の神話には書かれているのです。


海外、特にキリスト教文化圏の国々では、さまざまな伝統や習慣が、日本のような素直な自然観察から打ち出された経験則ではなく、宗教的な思想で出来上がっていることが多いものです。

たとえば、女性は男性の下にあるものだという男尊女卑の考え方が、戦前の日本の一部にあったことは確かですが、それは明治以降、西洋文化の輸入によって植え付けられた考え方とも言えます。

女性解放運動家に限りませんが、「ヨーロッパ社会のほうが、男女の性差が少ない」という言い方をする人が少なからずいます。

しかし、ヨーロッパ社会の基盤であるキリスト教の聖書には、「イブ（女性）はアダム（男性）の肋骨からつくられた」と書かれています。女性は元々男性の一部だったということであり、女性は男性を補完するための別の性に過ぎない、と解釈できるのです。

一方、日本の最高神である天照大神は女性神です。

天照大神以外にも、五穀と養蚕の起源である大気都比売神（おおげつひめのかみ）をはじめ、たいへん重要な役割を担う女性神が大勢登場します。女性を男性よりも上位に扱うのが、日本の神話です。

また、人間以外の動物や植物、山や川、石ころに至るまで魂が宿っている、すべて神様である、と考えてきたのが日本の文明です。

18世紀江戸時代の女流俳人・加賀千代女（かがのちよじょ）に「朝顔に釣瓶（つるべ）とられてもらい水」という

有名な句があります。

「夏の朝方、家の井戸を見ると井戸水を汲む桶つきのヒモの釣瓶に朝顔のツルが巻き付いて使えない。取っぱらうのも不粋なのでお隣に水をもらいにいった」という意味です。

この句には、「朝顔も生きている。痛みも感じるかもしれない」という人間以外の生命を慈しんでやまない感情が込められています。

そこには、縄文の時代から綿々と続く「自然はありがたいもの」という日本人の共通認識があります。

「グローバル・ジェンダー・ギャップ」の順位に、一喜一憂することなかれ

２００６年から毎年、世界経済フォーラム（ＷＥＦ）というスイスに本部を置く国際機関が「グローバル・ジェンダー・ギャップ報告書（Global Gender Gap Report）」なるものを報告しています。

２０２２年度は世界１４６カ国を対象にジェンダー格差ランキングが発表されましたが、日本は１１６位で、昨年の１２０位から４つ順位を上げたものの過去ワースト３の順位でした。

ちなみに、ジェンダー格差の少ないベスト3は「アイスランド」「フィンランド」「ノルウェー」でした。

国際連合（国連）をはじめ、欧米がリーダーシップをとる国際機関はこうした報告を頻繁に行って情報操作をします。「グローバル・ジェンダー・ギャップ報告書」は、性差別が激しい社会システムが西洋において長い間続けられてきた、ということを隠

蔽するための小細工に過ぎません。

日本人はなぜか、国連をはじめ国際機関という言葉に弱いようです。すべての正義がそこにあるように誤解しています。

「国際連合」の英語表記「United Nations」は第二次世界大戦の戦勝国側の組織名であり、そもそも「世界各国、地域のすべて」という意味ではありません。

このような真意を隠した権威を背景に、テレビや新聞がそれぞれの意図・思惑に沿ってニュースを解説するので、多くの日本人が「日本の伝統は間違っている。未だにその間違いを引きずっている」と錯覚するのです。


男女の違いは、人間社会の営みにおける役割の違いです。そもそも日本では、男性と女性のどちらが上か、などという考え方をしたことがないのです。

男性と女性を、無理やり同じであると考えること、あるいは、同じでなければいけないと考えることは止めたほうがいいでしょう。

男女の違いは、尊重すべき違いです。それを社会的役割として構造化し、安定した社会生活を営み続けてきたのが日本文明です。差別と呼ばれ、解消が叫ばれているものの多くは、西洋の暗い歴史の反動に過ぎません。

日本人には「差別意識」がほとんどない

男性と女性ということに限らず、「差別」というもの全般について少し考えてみましょう。

たとえば、日本に奴隷制はありませんでした。政情は穏やかで、革命もなく、皇室が途切れることなく続いてきました。

今日の歴史研究によれば、江戸時代の「士農工商」は身分制ではなく職業区分でしかなかったとされています。フィクションの映画やドラマでは武士が威張りちらして農民や町人を支配している姿が面白おかしく描かれることもありますが、武士にそんな力はありません。

武士（武器を携えて社会秩序を守る人）はたいへん謙虚でした。それでいて、間違いを犯すと自ら責任をとって切腹します。武士が携行する武器、つまり刀は社会に対して自らが責任をとるために使う道具でした。

西洋の兵士の歴史は、傭兵（金品で雇われて戦う人）の歴史です。傭兵に、社会に対する責任感はありません。

「支配と被支配」「統治と被統治」という関係は、西洋社会の歴史研究から出てきた概念に過ぎません。日本の歴史には当てはまらないのです。

日本人は、職業を別にする人それぞれ、お互いをかけがえのないものとして尊重することで社会を成り立たせ、安定させてきたのです。

ここで、奴隷制に関する例を一つお話ししましょう。

いわゆる鉄砲は１５４３年、種子島に漂着したポルトガル人によって日本に伝えられたと言われています。戦国時代には50万丁ほどの鉄砲が存在し、当時の日本は世界有数の鉄砲保有国でしたが、この鉄砲は西洋から輸入したものではなく、すべて日本人の技術者が製作したものでした。

鉄砲自体は製作することができましたが、火薬の原料となる硝石（しょうせき）の確保がネックでした。化学的に抽出する方法も工夫されていましたが産出量が極少で、硝石の十分な確保については外国からの輸入に頼らざるをえなかったのです。

硝石はポルトガル商人の手によって日本に輸入され続けたわけですが、その付随条件としてポルトガルは、「日本人の奴隷を10万人ほど用意せよ」と言ってきたといいます。求められた奴隷の多くは女性でしたので、いわゆる性奴隷です。

これに対して、当事の政治のトップにいた豊臣秀吉は「日本人を奴隷とするなど許さない」と拒否した上で、さらに「カネは補償してやるから、これまでに連れ出した日本人もすべて返せ」とポルトガルに伝えました。

これを学校では教えません。日本の戦後教育は「日本を悪く言い、欧米を讃え上げる」という考えで統一されているからです。

また、前述したように日本では革命もなく、社会的な序列もとても緩やかでした。中国大陸では数々の王朝が興っては消えました。王朝の交代時には徹底した粛清が行われたと言われています。3世紀、漢王朝が滅ぼされた時には、首都城内に住んでいた漢人の9割もの人々が殺戮されたという事実があるようです。

天皇の御代が途切れたことはありませんが、政権交代というものは日本にもありました。平安期の摂関政治から院政、武家政権として平氏政権の誕生、後に今日では幕府体制と言われるものが誕生して鎌倉幕府から室町幕府、戦国の混乱期があって江戸幕府へといった具合です。

ただし、中国や他の大陸諸国における政権交代時に見られるような、一般人への殺戮をはじめとする残虐行為は日本では見られませんでした。戦国時代などの乱世もありましたが海外に比べると、天皇の宣下に基づく概(おおむ)ね平和的で合理的な交代が行われたのです。

江戸時代の大名行列も、庶民は道端にひれ伏しはするものの「まあ大名と言っても、昔はただのアンチャンだったからなあ」などとつぶやきながら、行列が行き過ぎるのを待っていたようです。

「駕籠(かご)に乗る人、担ぐ人、そのまた草鞋(わらじ)をつくる人」という慣用句は、社会構造に対する日本人の考え方をよく示しているものかもしれません。人それぞれに役割があって、世の中はそれで成り立っているということを社会全体が理解しているのです。むやみに事を荒立てることなく、穏やかにやり過ごす——。

物事の本質を皆がわかっている、というのが日本の伝統なのです。

第2章

心と思想

西洋人が驚愕する、日本人の道徳心

焼野原からの復興を支えたものとは？

第二次世界大戦後、日本はそれまで世界のどの国も経験したことがないほどのスピードと規模を持って経済復興を果たしました。

特に規模の大きかった1945年3月の東京大空襲、8月の広島・長崎への原爆投下など、米軍の空爆によって主要都市ならびに工業都市が破壊され、大戦を通じて軍人戦没約230万人、民間戦没約80万人という数の国民を失った中からの復興でした。

復興は1950年代に始まり、1968年には当時の経済指標だったGNP（国民総生産）でソ連などの社会主義国を除く資本主義国中、アメリカに次いで第2位となりました。1960年代に池田勇人内閣が掲げた「所得倍増計画」のスローガンの下、全国的な重化学工業化が図られたのです。

復興の背景に、1950年に始まり1953年に休戦した「朝鮮戦争」による需要の増加、いわゆる朝鮮特需があったことは確かでしょう。

韓国と北朝鮮の間に起こったこの戦争には国連が介入しました。国連軍を主導した米軍が日本に大量の物資とサービスを発注したのです。

朝鮮特需は復興の大きなきっかけとなりましたが、日本の「奇跡的」とも言われた復興の要因はもちろんそれだけではありません。

1979年、アメリカで『ジャパン・アズ・ナンバーワン　アメリカへの教訓』（エズラ・ヴォーゲル、ハーバード大学出版局）が出版されます。原題は『Japan as Number One: Lessons for America』で、アメリカは日本に習え、としています。

経済指標の数字上ではアメリカの次でしたが、日本は復興開始後30年で実質上、世界一の経済大国となりました。この事実を、科学的に検証してみましょう。

多分に逆説的ですが、筆者は「経済復興の最大要因は、戦争によって日本がすべてを失ってしまった状態となったことにあったのではないか」と思っています。世界一の経済大国にまでなるには、やり直しだけではなく、新しいことを試みる必要がありました。

新しいことは常にあやふやで未確定です。新しいことをうまくやり遂げるためには、勢いのある生命力が必要です。そういう意味で、終戦によって古参の人たちが一旦退場し、新しい人たちが改めて社会の一線に登場することが重要でした。

明治日本の産業面での成長も同様のことが言えます。江戸時代に確立された商人層の利権と秩序が解体され、新規に登場した三井、三菱、住友といった財閥が明治日本の「富国」を担いました。

日本人経営者という話になると必ず名の挙がる松下幸之助も本田宗一郎も、創業こそは戦前でしたが、その新機軸の技術力と経営方針がより高く評価されたのは戦後のことでした。盛田昭夫と井深大がソニーの前身・東京通信工業株式会社を立ち上げたのは終戦の翌年、１９４６年のことでした。

松下幸之助、本田宗一郎、盛田昭夫、井深大は『ジャパン・アズ・ナンバーワンアメリカへの教訓』の中で、日本的経営者の代表としてその手腕が分析され、世界が学ぶべき実業家の筆頭として紹介されています。

松下幸之助も本田宗一郎も盛田昭夫も井深大も、皆、技術者でした。松下幸之助の創業当初のヒット商品は二股ソケットで、大正時代を代表する大ヒット商品でした。

松下幸之助は後に『商売心得帖』や『経営心得帖』といった指南書を書き、その中で「お客様は王様」という自身の経営方針を解説しています。王様の言うことをごもっともと聞いているばかりではいけない、たまには苦言を言って気付いてもらうことが必要だ、という方針です。

松下幸之助は終戦の混乱期、内部留保を取り崩して人員整理を極力回避する、社員寄りの経営体制を採ったといいます。ＧＨＱ（連合国軍最高司令官総司令部）の占領政策の一つである、日本経済の弱体化を狙った財閥解体の対象とされたものの事態は避けられ、松下幸之助が社長に復帰できたのは、その恩に報いようという社員たちの嘆願があったからでした。

本田宗一郎の戦後の活躍は、１９４８年、浜松に本田技研株式会社を設立し、オートバイの研究を開始したことに始まります。

本田宗一郎はとにかく性能のいいエンジンを開発することに注力しました。海外との自動車開発競争は勝負にならないだろうとする日本政府が輸入車に関税をかけることで対抗する中、本田宗一郎は性能で勝負し続け、ついに世界の自動車マーケットを唸らせるに至り、ホンダは国際企業へと発展するのです。

古い時代にとらわれないやり方と新しい技術を生み出す力が、経済復興の大きな要因となりました。言い方を変えれば、新しい技術は、使い古された発想が退場することから生じるのです。

家族のような「日本的経営」が、高度経済成長を可能にした

経済復興の要因は、日本の会社の在り方にもありました。

『ジャパン・アズ・ナンバーワン　アメリカへの教訓』でも分析され、「日本的経営」と称されて評価されていますが、日本の会社は、社長以下従業員に至るまで家族のような関係性の中、共に一生懸命に働くことで運営されてきました。

日本人はそもそも働き者です。

働き者である従業員の一人ひとりの役割がつながって会社全体がうまくいく、というのが日本の会社でした。ここにも前章でお話しした「絡合力」があります。

古来、日本人の仕事観は「皆のために仕事をする」ということが基本となっています。なんでもかんでもカネで割り切ることなどできない、というのが日本人の美徳なのです。

昨今、日本の会社の運営は、株主総会が中心です。権力は株主総会に集中し、総会は取締役会によって取り仕切られます。

事項の決定は株主総会の多数決ないし、全会一致が原則であり、「現場主義」ではなく、「数字主義」による効率的・合理的判断がとられます。つまり、すべてカネで割り切られてしまうということです。

これは組織の構造上、仕方のないことでしょうが、伝統的な日本人の仕事観とは大きく異なります。

株式会社においては株主総会と取締役を設置しなければならないとする現行の会社法には、そもそもの日本人とは相入れない部分があるのかもしれません。

日本人の道徳心に驚いた、西洋の人々

江戸時代の末期、日本を新たなマーケットあるいは研究対象として考える西洋人が大勢来日しました。それぞれに手記や研究記録を残していますが、その多くに共通するのは、「日本人の道徳心の高さに驚いている」、ということです。

たとえば、外国人に対して川の渡し賃を吹っ掛けることがない日本人の正直さに驚くなどしています。

江戸時代、幕府の本拠地・江戸を防衛するために意図的に、国境を形成する川には橋をかけない政策がとられていました。川は渡し船を使って渡る以外にありません。

中国（当時は清王朝）では、何事も外国人は桁が違うほどの料金を吹っ掛けられるのが普通でした。西洋人はそれを覚悟して渡し船に乗るわけですが、日本では相場の料金しか請求されないのです。礼のつもりで余計に渡そうとしても、船頭はそれを受け取りません。

日本人はむやみに金銭を要求しません。ここぞとばかりにごまかしたり、嘘をついたりするのが嫌なのです。

イザベラ・バードという1831年生まれのイギリスの女性探検家が1878年に来日し、東京や東北、北海道を旅したことがあります。この時の探検記は、彼女の著書『Unbeaten Tracks in Japan』にまとめられ、邦題『日本奥地紀行』として翻訳もされています。

イザベラ・バードが東北を旅行し、宿泊した宿で女中さんにとても良くしてもらったため、翌朝の出発時に心付けとしてお金を包んで渡そうとしました。ところが女中さんはこれを受け取らず、「私は女中として自分のすべきことをしただけのことですから、お金をいただくわけにいきません」と言うのです。

日本にはチップという制度がないので受け取らなかっただけのことかもしれませんが、「仕事を誠心誠意、心を込めてやる」というのが日本人です。お金が先にあって仕事をしているわけではない、ということがこの女中さんの態度からわかります。

また、この女中さんのエピソードは、日本人の「自己の確立の高さ」も物語っています。

女中さんは、自らの考えでチップを断りました。西洋では、「自己は高い教育によって確立する。一般大衆というものには自己は確立しない」と考えられ、キリスト教聖職者をはじめとするエリート層による大衆支配の根拠とされていました。

ですが日本のこの女中さんは、おそらくは学校になど行っておらず、貧乏で、勉強もしていないはずですが、自己（自分）というものを確かに持っているのです。

エドワード・S・モースという、1877年に大森貝塚を発見したことで知られるアメリカの動物学者がいます。発見は発掘調査をともない、日本の考古学の先鞭となりましたが、ダーウィンの進化論を紹介して生物学を定着させた人物としても知られています。

モースは日本を気に入り、3度にわたって来日しています。研究の傍ら、関東だけでなく、北海道、関西、九州と日本中の風土を見て回りました。モースは日本での体験を1917年に、『Japan Day by Day（邦題／日本その日その日）』という著書にまとめています。

モースが来日中、最も感心したことは、「日本人は他人のものは盗まない。日本人はしてはいけないことはしない」ということでした。

「私は襖を開けたままにして出かけるが、召使いやその子供たちは、私の部屋に出入りこそするけれど、お金がなくなったことがない」と、たいへん驚いています。

また、モースがある女性医師と東京の街を人力車で移動をしている時のこと。道路の傍らで盥（たらい）に湯を張って裸で行水をしている若い女性に出くわしました。

モースは「オイオイ、あんなところで行水をしているぞ」と言って思わず見入ってしまいましたが、彼と女性医師を乗せた人力車を引いている車夫はまったくそちらを見なかったのです。

モースは「我が国では、特に車夫のような肉体労働に就いている男はたしなみがなく、裸の女とくればまずはじろじろと見てしまう。ところが日本人の若い車夫は一切、そんなことはしなかった」として、これもまた大いに感心しています。

贅沢を嫌い、質素倹約を尊んだ日本人

日本人が贅沢を嫌い、質素倹約を尊んだことがよくわかる例として、1857年から2年間、長崎海軍伝習所で勝海舟や榎本武揚に近代海軍の教育を行ったオランダの海軍人・カッテンディーケの言葉を回想録『長崎海軍伝習所の日々』から紹介しましょう。

「日本人が他の東洋諸民族と異なる特性の一つは、奢侈贅沢（しゃしぜいたく）に執着心をもたないことであって、非常に高貴な人々の館ですら、簡素、単純きわまるものである。すなわち、大広間にも備え付けの椅子、机、書棚などの備品が一つもない」（『逝きし世の面影』渡辺京二、平凡社から引用）

カッテンディーケは、決して「貧しい」とはしていません。彼は、日本人の「余計なものを持たない合理性」に感心しているのです。

1863年、日瑞修好通商条約（瑞はスイス）の締結のために来日したスイスの使節団長アンベールは、見聞録『Le Japon Illustre』（邦題・アンベール幕末日本図絵）』で、次のように日本の職人論を述べています。

「若干の大商人だけが、莫大な富を持っているくせに更に金儲けに夢中になっているのを除けば、概して人々は生活のできる範囲で働き、生活を楽しむためにのみ生きているのを見た。労働それ自体が最も純粋で激しい情熱をかきたてる楽しみとなっていた。そこで、職人は自分の作るものに情熱を傾けた。彼らには、その仕事にどれくらいの日数を要したかは問題ではない。彼らがその作品に商品価値を与えたときではなく、かなり満足できる程度に完成したときに、やっとその仕事から解放されるのである」（前掲書『逝きし世の面影』から引用）

江戸の職人は現代で言えば会社の技術者に当たります。アンベールは、実にあっさりと人生そのものを楽しんでいる日本の職人たちに感心しています。

生活に十分なだけのものを稼いだら、あとは自分が満足するまで仕事をする、着ているものは粗末でもそんなことも気にしない、生きることの素晴らしさを本当に知っている人たちが私たちの祖先でした。

外国人に対しても「家族」として接する、庶民の温かさ

スイス駐日領事を務めたリンダウは、長崎近郊の農家を訪れた時のことを次のように残しています。

「火を求めて農家の玄関先に立ち寄ると、直ちに、その家の男の子か女の子が慌てて火鉢を持ってきてくれるのであった。私が家の中に入るやいなや、父親は私に腰をかけるように勧め、母親は丁寧に挨拶をして、お茶を出してくれる。家族全員が私の周りに集まり、子供っぽい好奇心で私をジロジロ見るのだった。

……いくつかのボタンを与えると、子供たちはすっかり喜ぶのだった。『大変ありがとう』とみな揃って何度も繰り返してお礼を言う。そして跪いて可愛い頭を下げて優しくほほえむのだったが、社会の下層階級の中でそんな態度に出会うのは、まったくの驚きだった。

私が遠ざかって行くと、道のはずれまで送ってくれて、ほとんど見えなくなってもまだ『さようなら、また明日』と私に叫んでいる。あの友情のこもった声が聞こえるのである」（前掲書『逝きし世の面影』から引用）

リンダウはじめ西洋人にとっては、この長崎の農家の人たちは「他人」です。しかし、長崎の人にとっては、たとえ外国人であってもリンダウは自分たちの「家族」でした。客人に対しても、家族同様に接するのが日本人なのです。

エリザ・シドモアは、ナショナルジオグラフィック協会初の女性理事として活躍したアメリカの地理学者です。

彼女は1885年から1928年にかけて度々日本を訪れ、日本に関する複数の著作を残しました。

「日の輝く春の朝、大人の男も女も、子供らまで加わって海藻を採集し浜砂に拡げて干す。

……漁師のむすめ達が臑（すね）をまるだしにして浜辺を歩き回る。藍色の木綿の布切れをあねさんかぶりにし、背中にカゴを背負っている。子供らは泡立つ白波に立ち向かって利して戯れ、幼児は楽しそうに砂のうえで転げ回る。婦人達は海草の山を選別したり、ぬれねずみになったご亭主に時々、ご馳走を差し入れる。暖かいお茶とご飯。そしておかずは細かくむしった魚である。

こうした光景総てが陽気で美しい。だれも彼もこころ浮き浮きと嬉しそうだ」（前掲書『逝きし世の面影』から引用）

ほのぼのとした風景が目に浮かびます。

当時の日本人は、農村も漁村も、穏やかにみんな明るく生活していたのです。

西洋の社会システムを真似ると不幸になる

産業革命は19世紀の前半には成熟期に入り、その中心的存在だったイギリスは1870年代まで世界最大の工場国として君臨しました。当時のイギリスは世界で最も豊かな国だったはずです。

ところが国民の生活が豊かになったかと言うと、けっしてそうではなかったようです。

霧の都ロンドンの「霧」は、かつてはメキシコ暖流による湿度の高い空気から発生していたものでしたが、産業革命以後は工場の煤煙(ばいえん)を原因とする、いわゆるスモッグに取って代わられました。

工場から排出される煤煙や排水で環境汚染が進み、労働者は公害の街に住み、生産力の向上だけを追求する計画に組み込まれ、過酷な労働を強いられていました。

1848年にマルクスとともに『共産党宣言』を発表して資本主義を徹底的に批判することになるエンゲルスは、1845年に発表した『イギリスにおける労働者階級の状態』という論文で、イギリスの労働者の生活を次のように描写しています。

「貧民には湿っぽい住宅が、即ち床から水があがってくる地下室が、天井から雨水が漏ってくる屋根裏部屋が与えられる。貧民は粗悪で、ぼろぼろになった、あるいはなりかけの衣服と、粗悪で混ぜものをした、消化の悪い食料が与えられる。貧民は野獣のように追い立てられ、休息もやすらかな人生の楽しみも与えられない。貧民は性的享楽と飲酒の他には、いっさいの楽しみを奪われ、そのかわり毎日あらゆる精神力と体力とが完全に疲労してしまうまで酷使される」

明治維新期の日本は、このような西洋を見習おうとしていたのです。今でも、こうした勘違いは変わりないのかもしれません。

イギリス料理と言われて思い浮かぶのは、フィッシュ・アンド・チップスと呼ばれる、魚類のフライとフライドポテトの盛り合わせくらいです。豪華で格別に美味しい料理を思い浮かべることはあまりありません。

イギリス人は元来、（アメリカ人も同様ですが……）食に関しては大雑把なところがありました。
産業革命で人々の生活には余裕が生まれるはずでした。イギリスの労働者がやっと日常生活に喜びを見出そうという時に、産業構造上、労働者への搾取が厳しくなり、日々を仕事に追われ、ついに食生活に喜びを見出す機会を失ってしまったのだという説もあります。

現代日本の生活が、忙しく辛く、疲れることが日常的で楽しいことが例外的になってしまっているとすれば、それは西洋の社会システムに無反省に倣いすぎているためかもしれません。

16~17世紀のイギリスの哲学者フランシス・ベーコンは、「自然科学は自然を明らかにすることによって人類の福祉に貢献する」と言いました。産業革命はその実現を目指したものです。

蒸気機関の発明と鉄の生産力の向上は、ヨーロッパの人々の生活問題を飛躍的に改善したかのように見えます。確かに、国民統計などの数字の上では乳幼児の死亡率、平均寿命、文盲率、エンゲル係数などは向上しました。しかしそれは、見かけの数字だけの改善であり、数字だけの生活水準の向上ということでした。

幕末から明治初期に日本に訪れた西洋人の中には、アメリカの初代駐日公使のタウンゼント・ハリスやイギリスの日本学者バジル・ホール・チェンバレンのように、「日本に西洋文明を持ち込んで幸福になるとは思えない。すでに日本人は幸福である」と考える人も多くいました。

特にハリスは、

「これがおそらく人民の本当の幸福の姿と言うものだろう。私は時として、日本を開国して外国の影響を受けさせることが、果たしてこの人々の普遍的な幸福を増進する所為であるかどうか、疑わしくなる。私は質素と正直の黄金時代を、いずれの他の国におけるよりも多く日本において見出す。生命と財産の安全、全般の人々の質素と満足とは、現在の日本の顕著な姿であるように思われる」

とはっきりと言っています。

今こそ、「日本文明」の再発見を！

繰り返しになりますが、日本は穏やかで平和な国であり、人々が互いに助け合い思いやる幸福な民族が生活する国です。

明治維新は、当時すでに日本近海まで迫っていた欧米列強の侵攻に対抗し、独立を守るためになされなければならないものでした。国家として必要なことであり、それについての明治政府の国家運営は十分に成功したと思います。

日本は明治維新以降、「文明開化」「和魂洋才」「殖産興業」など、さまざまなスローガンを掲げて西洋の文明を吸収しました。明治維新前から最も大きく変わった点は防衛でした。「富国強兵」による軍事力の拡大です。

西洋は、世界に対して植民地政策を展開して世界の覇権を獲得した理由をさまざまに説明します。哲学が優れていたからだ、文化が進んでいたからだ、布教の使命感があったからだ、科学技術が先進していたからだ、などといろいろに言います。

しかし、その本質は「軍事力」でした。大砲を搭載した軍艦をどれだけ保有するかが植民地政策の肝であり、戦争に勝てなければ話にならない、というのが当時の国際常識でした。

モースが「部屋に鍵をかけないのに机の上の小銭がなくなったことがない」と言って感心した日本人の倫理・道徳心の高さは今に継がれています。

２０１２年のＷＨＯ（世界保健機関）の統計を参考にしてお話ししますが、日本の殺人事件数は人口10万人当たり０・４件でした。統計に参加した国１９４カ国中１９３位です。日本よりも殺人数の少なかった国はルクセンブルクで人口10万人当たり０・２件でした。

10万人当たりの殺人事件数が最も高かったのが南米のホンジュラスで１０３・９件です。ロシアは13・１で29位、アメリカは５・４件で93位です。中国は１・１件で１７１位ですが、共産党一党独裁体制の特性から見てこの数字はあてにはならないでしょう。

世界平均は８・７件です。日本という人口約１億３千万人の大国で、殺人事件数が人口10万人当たり０・４件という数字は、やはり日本が独特な文明であることを物語っています。

もう一つ例を挙げると、1859年、イギリスの初代駐日総領事に就任したオールコックは著書『大君の都』で、小田原近辺の様子を次のように伝えています。

「封建領主の圧制的な支配や全労働者階級が苦労し呻吟(しんぎん)させられている抑圧については、かねてから多くのことを聞いている。だが、これらの良く耕作された谷間を横切って、非常な豊かさのなかで所帯を営んでいる幸福で満ち足りた暮らし向きの良さそうな住民を見て、これが圧制に苦しみ、過酷な税金を取り立てられて窮乏している土地とはまったく信じられない。むしろ、反対にヨーロッパにはこんなに幸福で暮らし向きの良い農民は居ないし、またこれほどまでに穏和で贈り物の豊富な風土はどこにもないという印象を抱かざるを得なかった。気楽な暮らしを送り、欲しいものものなければ、余分なものもない」

まさに「足るを知る」社会で幸福に生きる人々の姿です。自虐史観の日本人がよく口にする、「鎖国によって閉ざされた国で惨めに生きる科学に遅れた人々」などではまったくありません。日本人は貧しかったというのは、戦後教育と戦後マスコミのプロパガンダによる誤った認識です。

日本の豊かな海の恵みの中でのびのびと暮らす人々、のどかな田園風景の中で生き生きと暮らす人々を見た外国人たちは祖国の労働者の悲惨な暮らしを思い出し、「これでいいのか?」と自問さえしていたのです。

＊

前述したように、日本に、支配・被支配という階層的な対立は存在しませんでした。皆がそれぞれの持ち分で一生懸命働き、富を分かち合うというのが日本文明の特徴です。

天皇の下で民は平等であり、それぞれの役割を知り、役目を果たすために一生懸命に頑張り、欲張ることなく豊かさを共有していました。もしもここ2000年間の幸福度の統計を取ったとすれば、日本の平均値はかなり高いものになるのではないかと思います。

その背景には、自分たちを育んでくれる自然に対しての深い敬愛がありました。自然は正しいものである、という日本人の共通認識がありました。

日本人は自然の中にこそ生きてきました。自然を深く観察し、自然に沿った生き方をしていれば幸福に生きていけるのだということを理解していました。

自然を素直に、深く観察していれば、「人間だけが神に似せてつくられた」などという発想は出てきません。人間が最高であり、その他の動物や植物、つまり自然は人間に隷属するものだ、などという思想は生まれません。

支配・被支配の階級社会と、そこに生じる階級闘争といった発想、あるいは状況は日本では生じえません。西洋、あるいは中東、中国大陸といったところの文明においては、9割の人間が被支配層として支配層に隷属する、という関係で社会が成立しているのが一般的です。

現代日本に翻って考えると、日本の会社は元来、「会社も従業員のためのもの」という発想で経営されていました。働く人たちが幸福になることを大前提の目標として運営されていたのです。

会社を構成しているのはまず「人」であり、人の手で工夫が重ねられていく「技術」でした。あくまでも働いている人間が中心でした。

日本人が幸福な生活を守り、あるいは、より幸福に生きていくためには、そもそもの日本文明を正しく見直し、改めて取り入れ、社会構造をつくり直すことも必要かもしれません。

日本人の幸福の基本的な考え方や行動パターンはもちろん今でも残されています。だからこそ、日本文明というものを世界中に発信していく使命もまたあるだろうと思います。

現代の日本には多くの錯覚が存在します。明治以来、西洋の発想を取り込む過程で肥大化していった幻想が至るところにあります。

日本の文明はそもそも特別で独自であり、かけがえがありません。そして日本人は、その文明に育まれた豊かな思想を持っています。

「利他的なほうが人間は幸福になることができる」という考え方こそ日本人を幸福にしている要因であり、また日本人の幸福そのものなのです。

第2部

「壊す歴史」の西洋、「つくる歴史」の日本

西洋と日本の歴史には決定的な違いがあります。

西洋は、過去（それまでの伝統）を壊して、新勢力が征服していく歴史を歩んできました。これは中国の歴史も同様です。

一方、日本は、令和の御代で126代を数える天皇家に代表されるように、伝統の上に新しい工夫と創意を積み上げ、「つくる」ということを重ねていく歴史を歩んできました。

西洋の歴史は、軍事力の優劣で地図も文化も塗り替えられていく歴史でした。幕末以降、日本は、そうした欧米列強の力学から国を守るために西洋に倣った時期もありましたが、それも1万数千年の長い日本の歴史から見れば一時期のこと――。

「日本文明」の在り方こそを、世界は今必要としているのです。

第3章 西洋の歴史

「破壊」とともに歩んできた西洋文明

興亡と紛争が繰り返された、古代オリエントの歴史

西洋の文明は古代オリエントに始まります。オリエントは「東方」という意味です。古代オリエントは、具体的に言うと、西アジアからエジプト、東地中海岸を含んでインダス川流域に至る地域を指します。ヨーロッパから見て東方（オリエント）ということです。

日本と西洋の歴史を比較検証するために、このオリエント、そしてヨーロッパというものが登場するまでの歴史をまず簡単に振り返ってみましょう。「興亡と紛争が繰り返された」ということがよくわかります。

古代オリエントの歴史のポイントは、アーリア人と呼ばれる民族の大移動と拡散にあります。アーリア人は元々中央アジアに現住していましたが、紀元前２０００年頃、その大部分は中東からヨーロッパへ、他はインドへと移動していきました。

移動した理由は、「気候変動による寒冷化を避けたため」「遊牧民の必然として牧草を求めて拠点を移していったため」などと言われています。アーリア人は文字を持たず、記録がありませんから明確なところはわかっていません。

言語の祖先を一つにするグループを「語族」と言います。英語、フランス語、ロシア語、ギリシア語、ヒンディー語、ペルシア語などは同じ語族で「インド・ヨーロッパ語族」と呼ばれていますが、このインド・ヨーロッパ語族の分布範囲はアーリア人の大移動の範囲と重なっています。

古代オリエントに「ヒッタイト」という紀元前1800年頃から前1200年頃にかけてたいへん栄えた民族がいました。他の周辺民族に先駆けて「鉄器」を活用した民族として知られています。

20世紀初頭のヒッタイト語の研究からインド・ヨーロッパ語族に属するとわかり、元々はアーリア人だった民族だろうとされています。

鉄器の使用で強化されたヒッタイトの軍事侵攻が、古代オリエント諸国の存亡を決めていきます。

紀元前19世紀頃に小アジアのアナトリア（現在のトルコ共和国のアジア側の半島部）

に移動したヒッタイトは、紀元前17世紀半ば頃にハットゥシャ（現在のトルコ共和国ボアズキョイ）に首都を置く王国を建て、紀元前16世紀、ハンムラビ法典で知られるメソポタミアのバビロン第1王朝を滅ぼしました。紀元前14世紀に最盛期を迎え、エジプトなどの強国とさらに抗争を展開します。

抗争の大きなものとしてよく知られているのは、紀元前13世紀初頭、シリアの覇権をめぐって、北進してきたエジプト新王国のラムセス2世と争った「カデシュの戦い」です。

この時に交わされた講和条約の内容が書かれた粘土板が、20世紀にハットゥシャで出土しました。カデシュの戦いは、人類史上初めて記録に残された戦争、ならびに結ばれた条約は史上初の成文化された講和条約であり、粘土板のレプリカがニューヨークにある国際連合本部ビルに飾られています。

紀元前12世紀、ヒッタイトは、東地中海沿岸を船に乗って荒らし回っていた「海の民」と呼ばれる謎の民族に滅ぼされたとされていますが、内紛によって国力が落ちて自滅したという説もあります。

ヒッタイトが支配していたアナトリアは、エーゲ海ないし地中海を経由してメソポタミアやエジプトと連絡する交易の要衝でした。ヒッタイトが覇権を握っていた時代も諸国の干渉には激しいものがありましたが、ヒッタイトの滅亡以降、遊牧イラン人が建設したアケメネス朝ペルシアが紀元前6世紀にオリエントを統一するまで混乱は続きました。

アケメネス朝ペルシアは紀元前5世紀にギリシア侵攻を目指すペルシア戦争に失敗し、紀元前330年、マケドニアのアレクサンドロス大王の遠征軍によって滅ぼされます。

マケドニアはペルシアを滅ぼしたことでギリシアからオリエントにまたがる大帝国となりましたが、アレクサンドロス大王の死後、ディアドコイと呼ばれる後継者たちによって領土は分断され、内紛状態となりました。

当時、実力を増してきていたのがギリシアの都市国家から始まったローマでした。マケドニアはローマの進出に対抗しておよそ50年間の間に3度の戦争を試みますが紀元前168年のピュドナの戦いを最後に滅亡し、ローマの属州となりました。

ローマは紀元前1世紀末までには地中海全域の支配を完成させ、紀元前27年に初代アウグストゥスを掲げて共和政から帝政へと移行します。

このローマ帝国の成立をきっかけとして、現在のヨーロッパ諸国が歴史の表舞台に登場し始めることになるのです。

強国大国が衝突し合う激動と動乱の約２０００年、これはすべて紀元前２０００年頃のアーリア人の大移動が元となっています。西洋文明のバックボーンはここにあると言っていいでしょう。

ちなみに、エジプトは砂漠と海に囲まれて比較的安定した王朝が続いたと言われていますが、記録に残る紀元前３１５０年に始まる初期王朝から紀元前30年の最後の王朝プトレマイオス朝までの約３０００年の間に31の王朝が興亡を繰り返しました。

１王朝あたり１００年とは続いていない計算です。

覇権争いが激しいと言われる中国大陸の王朝の興亡を見てみると、多分に伝説的ですが「夏」という紀元前２０７０年に興った王朝から１９１２年に滅んだ「清」まで、三国時代という約３６０年間の分裂時代を挟むものの、約４０００年間のうちに11の王朝の交代がありました。

１王朝あたり、およそ４００年間です。

京都府京都市上京区に、794年の平安遷都以来明治維新まで1000年以上天皇が住まわれた京都御所が残っています。古来の内裏の形態が保存されている皇室関連施設です。

京都御所を目にして驚くべきことは、堀もなければ石垣もなく櫓（やぐら）もない（外敵から御所を防衛するための設備が何もない）ということです。

これは、観光名所としての意義を持って近年そうしたわけではありません。古来、天皇のお住まいにおいては外敵の襲来を想定していないのです。

海外の王朝ということに準（なぞら）えて言えば、日本は2023年現在で皇紀2683年です。つまり、一つの王朝が2683年間続き、今後もまた続いていく――という国なのです。

令和の御世で126代の天皇の下、天皇を殺して取って代わろうとする者などおよそ出現しない、平和的な文明を持続させてきたのが日本でした。

鉄器時代の幕開けと世界最大宗教へと続く道

紀元前14世紀に古代オリエントを代表する強国として最盛期を迎えたヒッタイトの強さの要因は「鉄器」の活用にありました。

現在のトルコやイラクなどにあたるオリエントの北方地方、つまりヒッタイトが支配した地方は、多くの金属鉱石が採れることで有名でした。装飾品や農具、そして武器に使う材料の多くがこの地方から周辺の国々にもたらされました。

鉱石を掘り出して溶かし、加工する技術の蓄積こそがヒッタイトの力でした。紀元前13世紀初頭、ヒッタイトと衝突したエジプト新王国のラムセス2世が相手にしたのは、「世界初の鉄器で武装した軍団」だったのです。

現代では巨大な溶鉱炉と完璧な装備を使いますから、鉄や銅などの金属を溶解するのは簡単です。

しかし、紀元前13世紀当時には装置も知識もありません。すでに青銅器の時代は迎えていましたが、銅についても溶かすだけでたいへんな手間と技術を必要としました。

ましてや、融点1000度程度の銅や錫よりも500度以上高い融点を持つ鉄を扱うことは容易なことではありませんでした。

ヒッタイトでは、経験をもとにした多くの知識を持つ「カリュベス人」と呼ばれる人々が鉄の製造を担当していたと言われています。貧弱な、今で言うブルーム炉を使っていました。

しかしカリュベス人は鉄をどうしたら強くできるかということにかけてはよく知っていたと言います。

カリュベス人はすでに紀元前2000年頃から、炭素の少ない錬鉄を叩くことによって炭素を鉄に浸み込ませ、〝はがね〟に変える技術を磨いていました。

ラムセス2世はヒッタイトとの消耗戦に疲れ、ヒッタイトの王ハットゥシリ3世の娘を妃に迎えて、講和条約を結びます。

エジプトに、鉄器と鉄の優れた製造方法が伝わりました。現代につながる「鉄器時代」の幕が切って落とされたのです。

当時のエジプトには数百年前から移動してきたイスラエルの民、すなわちユダヤ人が住んでいました。エジプト人にとっては異民族です。

ユダヤ人は結束が固く優秀で、徐々に王国の中枢に対して影響力を持ってきました。ラムセス2世は国外問題としてヒッタイト、国内問題としてユダヤ人を抱えていたのです。

やがて、ユダヤ人の中から卓越したある人物が出現し、ラムセス2世にとって事態はさらに悪化します。その人物こそが「モーゼ」であり、モーゼの出現によってユダヤ人の台頭は明白になりました。

ラムセス2世はユダヤ人を極度に圧迫し始めます。

彼は葬祭殿ラムセウスの建設にユダヤ人を酷使しました。

圧制王ラムセス2世に対するユダヤ人の反発は、さらに激しくなっていきました。ユダヤの祭日「過越祭」の夜には、エジプト人の長男の幼児がすべて死に絶えるという事件も起きました。

ラムセス2世は戦いを挑み、モーゼおよびユダヤ人の追放を決意します。これが『旧約聖書』に「出エジプト記」として書かれている事件です。

ユダヤに語り継がれるラムセス2世は圧制の王であり、悪の権化です。

とはいえ、ラムセス2世ほど歴史の大舞台に立った人物はいなかったと言えるでしょう。

ヒッタイトに相対したカデシュの戦いでは「青銅器時代から鉄器時代への転換」の舞台に立ちました。モーゼとの戦いは「キリスト教という人類最大の宗教の発祥」の舞台に立った、ということでもありました。

ラムセス2世は「鉄器時代の幕開け」と「最大の宗教の発祥」の2つの巨大な歴史の波の中でもがき、苦しんだ王でした。

混乱の果てに誕生した「国民国家」

紀元前27年に成立したローマ帝国は、紀元後の395年に東西に分裂し、ゲルマン人の侵攻を受けて衰えた西ローマ帝国は476年に滅亡します。

西ローマ帝国の滅亡は、そのままローマ教会の危機となりました。東ローマ帝国にはコンスタンティノープル教会があり、教会の首位座をめぐる争いでも劣勢に立たされたのです。

しかしローマ教会は盛り返します。451年にローマ司教レオ1世がカルケドン公会議で三位一体説の正統性を主張し、それが決議されたためにローマ教会の権威が高まりました。

レオ1世は翌年、ローマに侵攻したフン人のアッティラを撤退させ、ローマを救った司教としても信望を集めます。ローマ教皇という存在は、レオ1世を境にして、ヨーロッパの政治を動かす重要な権威となりました。

ヨーロッパと日本は、権威の在り方が違います。

日本は、天皇を唯一最高の権威として掲げて社会がまとまってきた文明です。

対して、ヨーロッパでは、キリスト教の指導者であるローマ教皇という権威と、支配者としての王侯貴族の権威が別々に存在して分断された社会が続き、その二者の主導権争いの側面の強い歴史を展開していきました。

王侯貴族はそれぞれの支配地で封建的な関係を結んで他の王家と勢力を争います。

ローマ教皇は王侯に対して支配権の認可を与えるなど、宗教的権威として采配を振るいました。


キリスト教会の権威的支配は、一般的に「中世」と呼ばれる5世紀から15世紀を通じてほぼ揺るぎのないものでしたが、16世紀に宗教改革が起こります。

カトリックの伝統的教義を捨て、「聖書」そのものの権威を主張してローマ教皇の権威を否定する、という改革運動です。

宗教改革によって教会を中心としていた行政体制が崩れ、地域の統治は王侯貴族による支配が中心的となりますが、ローマ教皇の権威は王侯貴族にとっても利用価値の高いものでしたから、実質的に両者の関係は相変わらずの均衡を続けました。

16世紀以降の「近世」と呼ばれる時代に入ると、各地の王が「重商主義」という政策をとるようになります。重商主義とは「輸出を最大化すると同時に輸入を最小化し、外貨準備の蓄積によって貴金属や貨幣などを増やす」という経済政策です。

重商主義は領土拡大を前提としますから、強いリーダーシップを必要とします。軍事力の増強と官僚体制の充実を図るために主権国家体制のようなものができ、「絶対王制国家」あるいは「絶対君主制国家」と呼ばれる状況となりました。

ドイツの宗教的内乱から大規模な国際戦争に発展した三〇年戦争の講和条約である1648年の「ウェストファリア条約」は、講和という性質上、戦争に参加した諸国の主権を明らかにする必要がありました。この条約をもって、近代ヨーロッパの政治的地図が確定したのです。

1789年の「フランス革命」は、絶対王制を倒し、王侯貴族が不合理に独占していた富と権利をブルジョアと呼ばれる都市の商工業者たち、いわゆる市民に移そうという革命でした。

とはいえ、1791年に成立した共和制政府は1799年、ナポレオンのクーデターによって統領政府となり、1804年、ナポレオンはナポレオン1世として皇帝に即位しフランス第一帝政が成立します。

このフランス革命は「徴兵制」を生んだ革命としても知られています。1793年、共和制政府が国民総徴兵法を布告し、フランスは百万人規模の国民皆兵の態勢に入りました。1796年にヨーロッパ制覇を目指して開始されたナポレオン戦争は、徴兵制をさらに拡充させました。1812年のモスクワ遠征失敗を機に、戦争はフランス帝国防衛戦争へと変遷します。

徴兵制は画期的な制度でした。フランス革命以前、ヨーロッパ諸国の軍隊は「騎士団」と呼ばれる、カネで雇われて戦う傭兵たちで構成されていたのです。

自分の国は自分で守るという意識はナポレオン戦争を通じて高まり、ここにヨーロッパに初めて「国民国家」というものが登場したのです。

「世界史」は西洋の押しつけ⁉

15世紀半ばから17世紀半ばにかけて、ポルトガルやスペインといったヨーロッパの国々がアフリカ、アジア、アメリカの大陸に対して盛んに航海を行いました。いわゆる「大航海時代」と呼ばれる時代です。

この時代がかつて、「大発見時代」とも呼ばれていた時期があることを覚えている方もいるでしょう。

たとえば、１４９２年のクリストファー・コロンブスのアメリカ大陸到達です。かつての学校教科書などでは「アメリカ大陸の新発見」などという表現で説明されていました。

「発見」というのは西洋側から見た言い方です。

発見などされなくとも、アメリカ大陸には多くの人々が暮らし、文明というものが展開されていたのです。

最近は、大航海時代の意義については、「世界の一体化」というテーマの下で語られることになっています。

ヨーロッパ諸国の航海術の向上と世界全体に対する興味、グローバリズムの意識が大航海時代につながったとされているようです。

地球が球体であるということはすでに紀元前4世紀にアリストテレスが理論上で証明していました。ルネッサンス期の1474年、パオロ・トスカネリという天文学者が改めて「地球球体説」としてまとめたことで注目されました。

コロンブスが計画した航海は、地球球体説を確認するために行われたものでもありました。

15世紀末の段階で、西洋諸国は貿易振興のためにインド航路の開拓を大きな目標として掲げていました。

アフリカ大陸の喜望峰(きぼうほう)経由の航路が有力視されていましたが、コロンブスは、大西洋を西回りで行ったほうが早くインドにつくのではないかと考え、結果、アメリカ大陸に到達します。

大西洋を西へ向かったコロンブスの船団は意外に早く陸地についてしまいました。

現在の南北アメリカ大陸の間、カリブ海域にある群島でした。

インドの西の地域に違いない、ということでコロンブスは群島を「西インド諸島」としました。そして、現地の人々をインド人だと思い込んで「インディアン」と呼んだのです。

現在この地域はそれぞれの島が国として独立していますが、未だにこの地域は「西インド諸島」と呼ばれています。

こうしたヨーロッパ中心の発想は最近ではずいぶん修正されてきてはいるものの、まだまだ残っています。

世界を力によって二分した、ポルトガルとスペイン

大航海時代を牽引したのは当時の2大大国、ポルトガルとスペインの開拓競争でした。実際にはアメリカ大陸だったわけですが、アジア大陸だと思われる大陸にコロンブスが到達したことでポルトガルとスペインの関係が緊張します。コロンブスは事業家として支援を受けるために、ポルトガル王室とスペイン王室を両天秤にかけていたのです。

1494年、「トルデシリャス条約」が両国間で結ばれます。西アフリカのセネガル沖、ベルデ岬諸島の西370レグア（約2000キロメートル）の海上において子午線（しごせん）に沿った線（西経46度37分）の東側はポルトガルに、西側はスペインに属することが定められました。

つまり、この世界についてはポルトガルとスペインで二分して支配することにした、というのがトルデシリャス条約でした。

当時、ヨーロッパはカトリック教会の伝統を廃して新体制を求める宗教改革の機運に満ちていました。ポルトガルとスペインはカトリック教国です。ポルトガルとスペインの世界開拓事業は、宗教改革で揺らぎ始めたカトリック教会の権威を保つための布教事業でもありました。

カトリックの宣教師は日本にもやってきました。学校教科書などではフランシスコ・ザビエルがよく知られています。

1549年に来日したザビエルは「イエズス会」という布教組織の創始者でもありました。ポルトガル王の要請でまずインドへ赴き、マラッカで日本について知ったのです。

大航海時代の出来事としてとても有名なものに、1533年のスペインによるインカ帝国の征服があります。

スペイン軍の提督ピサロはインカ皇帝アタワルパと会見して聖書を差し出し、キリスト教への改宗を迫りました。

拙い通訳など意思疎通の不十分があったとされていますが、インカ皇帝は明確な意思を示さず、業を煮やしたスペイン軍は皇帝の側近者たちに発砲、皇帝を人質に捉え、インカ帝国を滅亡へと追い込みました。

インカ帝国には13世紀からの歴史がありましたが、当時は年若い皇帝の下、すでに内乱状態にありました。

中央アメリカから伝播した天然痘も社会不安を呼んでおり、インカ帝国があっけなくスペインに征服されたのにはこうした背景があったとされていますが、一方、スペイン軍が当時最強の軍事力を保持していたことも確かです。

ピサロが率いてインカ帝国を滅亡に追い込んだ軍隊はわずか168名でしたが、その手には最新式の鉄砲がありました。携帯した大砲は一門だけでしたが、これも当時最先端の殺戮兵器でした。

西洋の大航海時代と日本の鎖国時代

16世紀をピークとする大航海時代、スペインは主にアメリカ大陸の植民地化を進め、ポルトガルはアジア地域の植民地化を進めました。大砲を搭載した戦艦、鉄砲を携えた軍隊が各地を侵略していきました。

植民地の対象とされた地域には対抗できるだけの軍事力も技術もありませんでしたから侵略を受け入れるしかなく、統治権を失い、キリスト教化され、現地の文化は破壊されていきました。

トルデシリャス条約の改訂条約である１５２９年締結のサラゴサ条約に則り、当時の日本には主にポルトガルがやってきていました。

サラゴサ条約では東経１４４度30分が境界線として設定してありました。この境界線は日本列島上にあります。

西日本から九州にかけてポルトガルが進出してきている一方、東北の武将・伊達政宗にはスペインとの交流があったというのはそのためです。

1543年、ポルトガル商人の乗った明国の船が日本の種子島に漂着します。鉄砲伝来の年とされています。

すでにその時には種子島氏島主の家督を継いでいたとされる16歳の種子島時堯は、実演を見て鉄砲に興味を持ち、ポルトガル商人から2丁を購入します。時堯は1丁を領内の鍛冶職人に渡して研究させ、鉄砲の国産化に成功しました。

品物を購入するのは資金があれば誰にでもできることでしょうが、研究して工夫を重ね、自らの手で生産してしまうところまでに至るのは日本人ならではの気質と能力でしょう。

これを機に鉄砲職人が登場し、材質や機能における改良を重ね、日本の多湿な環境に合わせた火薬の開発をも進めました。

鉄砲には破壊力が期待できました。また、大きな音を発しますから、敵を威嚇して戦意を消失させるのにも適当な兵器でした。群雄割拠していた戦国武将たちの間にたちまち需要が高まります。

戦国武将たちは鉄砲を手に入れるだけではなく、鉄砲をどのように使うか、戦術的にも工夫を重ねます。

たとえば、多分に伝説的ではあるにせよ、１５７１年、武田勝頼に相対した「長篠（ながしの）の戦い」で織田信長は、三段撃ちという戦術を使ったとされています。

信長は、戦場となった長篠城の設楽原（したらがはら）に騎馬部隊を食い止める馬防柵を設け、その馬防柵の後ろに鉄砲隊の列を3段に分けて控えさせました。

まず、迫ってくる敵の騎馬部隊めがけて1段目が射撃します。一度撃った鉄砲は、次に発射するまでに弾込めの時間が必要ですから、射撃した1段目は最後方に下がって弾込め作業を行います。その時には2段目の射撃兵が騎馬部隊めがけて攻撃しているという、連続の大量射撃を可能とした戦術が三段撃ちでした。

武田軍の騎馬部隊は当時、戦国最強として恐れられていました。信長は、鉄砲を装備した軍隊で武田軍に勝利し、いわゆる天下人への道を突き進むことになります。

戦国時代、日本には最盛期でヨーロッパ全域が保有する鉄砲と同数の鉄砲があったとされています。それは言いすぎだと思いますが、ヨーロッパの大国一国ほどの保有数はあったでしょう。種子島時尭が2丁の鉄砲を購入してからわずか3、40年で日本の軍事力はここまでに達しました。

鉄砲の保有数もさることながら、当時の日本の武士団の強さは世界屈指だったと考えられています。実際に強かった、あるいは強いと評価されたために、世界各地でヨーロッパによる植民地化が進む一方、日本は植民地とならずに済んだのです。

キリスト教布教のために来日した宣教師たちは、ローマ教会に対してこまめにレポートを提出することを重要な仕事の一つとしていました。有名なルイス・フロイスの『フロイス日本史』は、それをまとめた書籍です。

そうした宣教師たちのレポートの中に、「日本は軍事的に強国である。植民地化は不可能である」という内容の報告がたびたび出てきます。事実、ポルトガルは日本の植民地化を諦めて引き下がりました。

計画半ばでその死によって頓挫しましたが、豊臣秀吉が朝鮮半島へ進出したのは、自分はポルトガルやスペインに比肩する武力を持っているという自信によるものだとも言われています。

秀吉が強引で積極的な外交政策をとろうとしたのと対照的に、江戸幕府を開いた徳川家康は鎖国政策をとります。

鎖国政策とは、「日本は日本だけでやる」という決意です。

そして、この決意は当時世界屈指とされた日本の軍事力を背景にしたものです。日本は強かったからこそ、鎖国ができたのです。

言い方を変えれば、鎖国が可能なほど強い国は大航海時代当時、日本だけでした。平和な社会と軍事力は矛盾しません。日本文明の古来の伝統である「お互いを思いやる社会性」という団結力が、世界屈指の軍事力を生んだのです。

「自分の国は自分だけでやる」という思想が西洋にあれば、大航海時代以降数百年にわたるアジア周辺の植民地化、それを原因として生じた国際紛争、その最大のものとしての第二次世界大戦という悲惨は起こらなかったと言っていいでしょう。

第4章

日本の歴史

「創造力」を大切にしてきた日本文明

モンゴル帝国の侵略と日本人の団結力

ここからは、西洋文明と接触した時代からの「日本の歴史」を解析していきたいと思います。

日本は、大航海時代のヨーロッパによるもの以前にも、海外からの侵略を受けたことがあります。「元寇（げんこう）」と呼ばれる、1274年の「文永の役」と1281年の「弘安の役」、2度にわたるモンゴル帝国による日本侵略です。

歴史上世界最大の帝国は1920年時点の大英帝国で、地球上の陸地の約24パーセントを統治下に収めていました。モンゴル帝国の歴史は1206年から1635年までですが、その最盛期には当時世界最大、地球上の陸地の約17パーセントを統治下に収めていました。

よく世界の3大征服者ということでマケドニアのアレクサンドロス大王、フランスの皇帝ナポレオン、モンゴルのチンギス・ハーンの名が挙げられます。その中で最も広大な領土を支配したのがチンギス・ハーンのモンゴル帝国でした。

そうした、当時世界最大の強国であるはずのモンゴル帝国の侵略を、日本は2度、撃退しました。戦後の学校教育は日本を矮小化して印象づける傾向にありますから、教科書などの説明では「モンゴル帝国の侵攻は、暴風雨に遭遇したことにより失敗した」とされることが多いものでした。

今では研究も進み、当時の鎌倉幕府執権・北条時宗の采配とそれに十分に応えた九州の御家人たちの実力によって撃退したことがわかっています。暴風雨は、モンゴル軍が兵を引き上げる際に遭遇したものですから関係がありません。モンゴル帝国の隷属命令をきっぱりと拒否したのも時宗でした。

当時のモンゴル軍は「世界最強」と言われました。その理由は、「戦い方」にあります。

1241年、モンゴル帝国のヨーロッパ遠征軍とポーランド・ドイツ連合軍との間で、「ワールシュタットの戦い」と呼ばれる戦争が起こりました。モンゴル軍が連合軍側の大将ヘンリク2世を討ち取って勝利した戦いです。

当時のヨーロッパの軍隊の主力は甲冑を着た「騎士」です。報酬次第で働く傭兵であり、一人ひとりが敵を討つ「個人戦」で戦争を処理していく傾向にありました。

これに対しモンゴル軍には全体的な「戦術」というものがありました。

まず、機動力に富む軽装備の騎兵と戦闘力に富む重装備の騎兵に分けて配備します。

戦闘プランは状況によって違ってきますが、たとえば「軽装備の騎兵が突入して激戦を展開しておいて突然退却、退却に勢いを得た敵が追撃してきたところを伏兵が待ち受ける」といった戦術を採ります。

軽装備の騎兵が両面から挟み撃ちを仕掛けて追撃してきた敵を包み込み、背後に煙幕を張って戦場を見えなくし、パニックに陥れるといった心理作戦も得意でした。

兵士一人ひとりの能力もさることながら、戦術・作戦の巧みさ、集団の連携で敵を陥れる戦い方で世界各地に侵攻していったのがモンゴル軍でした。当時世界最大の帝国は、モンゴル軍の実力をもって築かれたのです。


1274年の文永の役で、モンゴル軍は通説では4万人の大軍で攻めてきたとされています。ワールシュタットの戦いに動員した人数は2万人だと言われていますから、モンゴル軍としては万全を期した、と言っていいでしょう。

しかしモンゴル軍はたった1日戦っただけで、日本の武士団の強さに嫌気がさしたのか、博多湾から撤退していきました。その撤退中に暴風雨に遭い、モンゴル軍の船は沈没しました。モンゴル軍の敗退を決定的なものにしたので、後にこの暴風雨は「神風」と呼ばれます。

1281年の弘安の役では、モンゴルは15万人を動員しました。中国大陸の南宋の侵略に成功した直後であり、旧南宋から大量に徴兵して日本に送り込んだものとされています。

モンゴルの再来襲はほぼ間違いないと踏んでいた執権の北条時宗は、モンゴル軍の上陸が見込まれる博多湾の沿岸に、20キロメートルにわたる石垣をつくらせました。「元寇防塁（ぼうるい）」と呼ばれています。

モンゴル軍は防塁を避けて博多湾の西の海岸に上陸しましたが、地形が悪く撃退されます。日本側の作戦成功というものでしょう。海上待機を余儀なくされたモンゴル軍に対して、日本の武士団は小舟を使ってモンゴル船に乗り込みゲリラ作戦を仕掛けました。

6月から3カ月間、モンゴル軍は船上での生活と武士団の攻撃に苦しみました。そして夏が終わり、台風の季節へと突入します。暴風雨で約4割の船と兵士が海の藻屑になったと推定されています。モンゴル軍の惨敗です。

執権北条時宗のリーダーシップと、九州御家人を中心とする鎌倉武士団の実力によって、集団戦も個人戦も優位に戦い、外敵を駆逐したのが元寇でした。当時の兵器の主力である弓矢、あるいは甲冑といった防御装備の質も日本側のほうが優れていたと考えられます。

そして、日本側にこそあった「団結力」というものを見逃すことはできません。モンゴル軍はモンゴル人と朝鮮半島の高麗人、あるいは旧南宋の人々の混合部隊でした。また、「モンゴル」という国の存続、あるいは発展を考えていたわけでもありません。

モンゴルの使者の隷属命令をきっぱりと拒否した鎌倉幕府、そしてその方針に十分に応えた鎌倉武士団は、「自分の国を自分の手で守り続ける」という強い意識でまとまっていたのです。

日本の城と西洋の城の決定的な違いとは？

日本人の社会の在り方、日本人の心の在り方が西洋とどれほど違うか――筆者の経験を一つ紹介してみたいと思います。

２０００年代、名古屋大学に勤務していた頃に、フランスから訪れた研究者に名古屋城を案内したことがありました。

徳川御三家の筆頭である尾張徳川家が治めた名古屋城は立派な城郭で知られ、名古屋人の自慢の一つとなっています。

名古屋城を案内すると、フランス人の研究者が「ずいぶん小さな城ですね」と言うのです。

筆者は「そんなことはありません。〝尾張名古屋は城でもつ〟という慣用句もあるくらいの立派な城です」と丁寧に説明しました。

次に、フランス人の研究者から「この城にはどなたが住んでいたのですか？」と質問されました。

筆者は「殿さまとそのご家族と重臣、世話をする係やその他の人々です」と答えました。

すると、フランス人の研究者はこう言うのです。

「一般の市民はどこに住んでいたのですか？　市民が城の外に住むのであれば、城の意味がない！」

実はここに、日本の文明と、西洋をはじめとする海外の文明の違いが如実に表れているのです。


ヨーロッパをはじめ、中国などの大陸の為政者は、一つの街の外周に巨大な城壁をつくり、そこに貴族あるいは兵士、市民をすべて囲い込みます。

かつてはコンスタンティノープルと呼ばれたトルコのイスタンブールはその好例でしょう。

中国の都市も城の中、つまり城壁の中にあります。

広大な城の中に領主、あるいは皇帝がいて、貴族もいて、兵隊もいて、一般の市民も暮らしています。

夜になると城外と連絡している城壁の門は堅固に閉じられます。外敵や盗賊から城内を守るためです。

つまり、城内の治安を守り、城内に住んでいる人たちの生命と財産を守るために建築されたものが西洋人あるいは中国人にとっての「城」なのです。

城の中に住む人は城の支配を受けることによって安全が保障されます。

ただし、城の支配者が戦争に負けるなどしてしまうと、状況ががらりと変わります。城内に住む人は非戦闘員の一般人であっても殺害されたり、奴隷として確保されたりしてしまうのです。

城外に暮らせば自由かもしれませんが、城内で暮らさない限り安全の保障はありません。

つまり、城外は外敵だらけなのです。少しでも治安の良い城内での生活を多くの人々は望みました。

一方、日本の「城」に住んでいるのは「殿さまとそのご家族と重臣、世話をする係やその他の人々」だけです。

要するに、一般の市民には西洋型の城を必要とするような「治安維持の不安」はなかったのです。

日本人が考える「城」と「一般人」の関係は、ヨーロッパや中国の「城」と「一般人」の関係とまったく違っています。

西洋の人々からすれば日本の城は砦（とりで）、つまり本拠は別にちゃんとあって戦争のために臨時につくられる小型の城としか考えられません。しかし、日本の「城」には、それどころではない格別な美しさというものがあります。

日本は鎌倉政権以来、室町政権、徳川政権と、天皇に任命された征夷大将軍がトップを担当する軍事政権が政治を担ってきました。

日本では「城」がそのまま行政機関であり、権威というものを持ちますから、おのずと豪華な、あるいは視覚的に魅力のある佇（たたず）まいになるのです。

『解体新書』と日本人の科学技術に対する意識

日本人には、科学技術にしっかりと向き合う姿勢が古来から連綿と受け継がれてきました。

日本人の科学技術に対する意識がたいへんよくわかるのが、1774年、江戸時代後期の安永3年に発刊された『解体新書』の翻訳のエピソードです。

原本の『ターヘル・アナトミア』はドイツのクルムスという解剖学者が1722年に著した『解剖図譜』を、オランダの大学都市・ライデンで活動していたディクテンという医師がオランダ語訳した書物でした。

このドイツに生まれてオランダ語に訳された医学書を、豊前国中津藩藩医にして蘭学者の前野良沢が翻訳し、若狭国小浜藩藩医にして蘭学者の杉田玄白がまとめ上げたのが『解体新書』です。

当時、ヨーロッパの書物を自国語に翻訳した例は世界で初めてでした。つまり、外国の本はその外国語を学んで読むものでした。

特に西洋においては、外国語の本を読めるということがその人間の社会的地位を高めました。ドイツ語が読める、フランス語が読める、ラテン語が読めるといったことは、自分の利益を確保して他に渡さないという点で重要だったのです。

翻訳の意義は、その国の人間なら誰にでも読めるようにする、ということです。その書物に書かれた知識を「同胞で共有したい」、という情熱のなせる技です。

『解体新書』以降、幕末から明治にかけて、理学あるいは工学の書物あるいは論文が30点ほど日本語に翻訳されています。

外国からの貴重な情報を自分一人で独占して利益を得ようとする人間など日本にはいませんでした――。

『解体新書』は日本人の、西洋医学への関心を高めました。同時に、西洋の科学技術への関心もまた高めることになります。

江戸時代の末期から明治にかけて実に多くの書物が日本語に翻訳されましたが、かえって明治時代から、医療の世界ではドイツ語で診断したりカルテに記載したりし始めました。

これは、診断結果を患者に直接わからないようにする配慮ということもありますが、医師による「情報独占」でもあります。新型コロナウイルスの蔓延時、医師による情報独占で具体的な診断内容が公にならず、政府の政策も右往左往したことは記憶に新しいことと思います。

最新情報の独占は支配階層の選民的な意識によってなされることが多く、これは世の中の混乱につながります。

『解体新書』の翻訳者たちには、情報の共有が人々の安心と社会の安定に必要だという利他の意識がありました。

「蒸気機関」を設計図だけでつくり上げた日本人

イギリスのジェームズ・ワットが18世紀の初頭につくられた炭鉱の排水用の蒸気機関を改良し、実用的で効率的な「蒸気機関」を完成させたのは、１７６０年代のことでした。

19世紀初頭、１８０４年にはトレヴィシックというイギリスの発明家が、実用には至らなかったもののスティーブンソンに先駆けて蒸気機関車を完成させています。

この蒸気機関の設計図が、幕末の日本に渡ってきました。実物ではありません。設計図です。

そして、その設計図だけを見て、幕末の日本の技術者は苦心惨憺の末、ついに蒸気機関をつくり上げたのです。

設計図を理解するだけでもたいへんなことです。

そもそも蒸気機関の実物を見たこともない中、鉄の塊から削り出してつくるシリンダーや、パッキングや弁などの未知の素材を使う部品まで、設計図から読み取って工夫に工夫を重ねました。

イギリスでは18世紀の産業革命を通じて加工機械や材料の開発を終えていたことを前提として蒸気機関の誕生がありました。そうした前提のない日本では、蒸気機関の製作は普通に考えればとても無理な話でした。

何事もしつこく追求して、諦めるということを知らない日本人の才能がなせる技でしょう。

幕末の技術者はとにかく類似の機械をつくり上げました。設計図によればその出力は12馬力でしたが、その6分の1の2馬力を出力する蒸気機関が完成したのです。

部品加工、必要素材の問題を考えれば、不十分な点は当然です。しかし、工業力というものがなかった日本で、設計図だけで蒸気機関をつくってしまったという事実は驚くべきことです。

幕末当時、アジアで蒸気機関を製作しようなどと考えた国はもちろん日本だけでした。

世界を唸らせた、日本の造船技術

「蒸気船」という当時最先端の交通機関についても、当時の日本人は旺盛な好奇心と知識欲を見せました。

江戸幕府が西洋の中で唯一外交を保持していたオランダが1855年、スームビング号という蒸気船を寄贈します。スームビング号は後に軍艦・観光丸として活躍することとなります。

1853年のペリー来航で軍用蒸気船を目の当たりにしたそのわずか数年後には、長崎海軍伝習所で勝海舟や佐賀藩士を中心に蒸気船に関係する技術の習得が始められていました。

燃料となる石炭の扱いなど細かなことも含め、初めて手にした鉄製の工具を握り、機関の細かな仕組みや操舵技術、修理法を学んでいったのです。

当時オランダから長崎海軍伝習所に派遣されていた技官カッテンディーケは「普段は浴衣のような服に刀を差して、夕方になると甲板から立小便をするような連中が実に熱心に、しかもしっかり技術を身に付けていく」と驚きました。

伝習所学生は勝海舟を船長としてスームビング号に乗り組み、蒸気船を回航、ヨーロッパ人の手を借りることなく操縦して江戸に到達しました。カッテンディーケは「とても信じられないことだ」と書いています。

長崎海軍伝習所の伝習取締りだった幕臣の永井尚志は、軍艦の操舵ができるだけでは不十分だと考え、絶え間なく起こる船の破損や修理に対応するための造船所の必要を幕府に訴えます。

そこで1857年に生まれたのが「長崎造船所」の前身、日本初の造船所とも言える「長崎溶鉄所」でした。

当時の日本は、工具はもちろん補助的な器具もほとんど持っていない状態でした。必要品は逐一、オランダに発注して入手しなければなりません。ならば、必要品一切を製作できる造船所をつくってしまおうという発想で、まさに「自分の国のことは自分の国でやる」という思想そのものでした。「長崎溶鉄所」は日本初の重工業の誕生ということでもありました。

造船所の周囲には、細かい部品を供給する小規模の製作工場が建つようになりました。「優秀な中小企業の集合体」という日本の産業の伝統は、幕末に始まっているのです。

当時、造船所を見学したイギリスの軍医レニーは、「オランダ人の管理下にあって機械類はすべてアムステルダム製であった。所内の自由見学を許された我々は隅々まで見て回ったが、なかなかの広さであった。そしてこの世界の果てに、日本の労働者が船舶用蒸気機関の製造に関する処々の仕事に従事しているありさまを見たことは確かに驚異であった」と述べています。

この造船所はやがて三菱重工に引き継がれ、戦艦「武蔵」などを建造することになります。

「四国艦隊下関砲撃事件」と「薩英戦争」

幕末に欧米各国が日本に迫った「開国」とは、実質的に日本に植民地化を迫るものでした。

西洋列強の激しい嵐はすでにトルコ、インドから東アジア、中国に吹きすさんでいました。これは、まさに「蒸気の力」と「鉄の生産力」という工学がもたらした結果です。

元々攻撃的な狩猟民族であり、さらにはキリスト教の教義をバックボーンとするヨーロッパ人は、我々こそは世界を征服するに足る立派な民族だ、と確信していました。アフリカは言うまでもなく、インド、インドネシア、ベトナム、中国、そしてフィリピンに至るまでが欧米の植民地と化しました。

そうした中、幸い日本は植民地とはなりませんでしたが、欧米列強との激しい衝突がたびたび起こっています。

1864年、「四国艦隊下関砲撃事件」と呼ばれる事件が起こります。四国とは、イギリス、フランス、オランダ、アメリカの列強4国のことです。

前年の1863年、孝明天皇の強い要望で将軍徳川家茂が外国を排撃する攘夷実行を約束、幕府は軍事行動を予定していなかったものの、長州藩が現在の関門海峡である馬関海峡を通過するアメリカ、フランス、オランダの船に対して砲撃を実施しました。四国艦隊下関砲撃事件はその報復のために列強4国が起こしたものです。

1863年、薩摩藩と大英帝国の間に「薩英戦争」も起こっています。下関における戦闘も薩英戦争も日本側が一方的にやられて終わったと教えられることが多いのですが、事実はまったく違います。

薩英戦争は、1862年の「生麦事件」をきっかけに起こりました。生麦事件とは、横浜港に近い武蔵国橘樹郡生麦村付近で薩摩藩主島津茂久の父・島津久光の行列に遭遇したイギリス人たちを供回りの藩士たちが斬り付け、1名が死亡し2名が重傷を負った事件です。

イギリス人は馬に乗っていました。行列の先頭にいた薩摩藩士が馬を降りて道を譲るように伝えましたが意思疎通は叶わず、イギリス人を乗せた馬は行列の中を逆行しました。久光の乗る籠に近付いたところで殺傷事件は起きました。

生麦事件は国際問題となり、イギリス側は江戸幕府に対して損害賠償請求を行い、幕府は賠償金を支払いました。イギリスはさらに薩摩藩に対して報復すべく、大英帝国艦隊を薩摩湾に派遣して砲撃し、薩英戦争が始まります。

清を相手にした1840年の「アヘン戦争」で、イギリス軍は大勝利を収めていました。3回ほどの海戦で、清軍の戦死者2000人に対して、イギリス軍は7、8人という圧倒的な結果でした。地方政府に過ぎない薩摩藩を相手とする戦争などは推して知るべしでした。

実際、戦力においては薩摩藩と大英帝国艦隊では比較にならず、大砲の飛距離にも命中精度にも段違いの差がありました。

しかし、薩摩藩軍は強かったのです。砲撃を受けた鹿児島の街には損害がありましたが、藩主や住民の避難はほぼ完了しており、人的被害は少ないものでした。イギリス議会においては翌年1864年、鹿児島砲撃は一般市民を対象とした不当な戦闘行為であるとして問題となり、時のヴィクトリア女王が遺憾の意を表しています。

薩摩藩軍は、大砲の射程は短いものの効率的な砲台の準備の下、砲撃を繰り返しました。その結果、薩摩側の被害も大きいものでしたが、イギリス側の被害のほうが大きく、指揮官を中心に多くの戦死者を出しました。

この結果は、イギリス側のみならず当時の世界を驚かせました。薩英戦争を経て、イギリスと薩摩藩は双方の関係を見直すこととなります。

幕藩体制は封建制度です。封建制度とは土地の支配権を分与することによって主従関係を形成するという制度であり、日本では、天皇から征夷大将軍に任命された徳川将軍が諸藩を統治するという形をとっていました。つまり、薩摩藩は領地統治において独立している状態です。

イギリスは薩摩藩を評価し、中央の江戸幕府よりも緊密な関係づくりを図りました。西郷隆盛が薩摩藩総大将として江戸に上り、幕臣・勝海舟との間で江戸城の無血開城を取り決めた偉業の背景にはこうした経緯があります。

四国艦隊下関砲撃事件では長州藩が、薩英戦争では薩摩藩が、欧米列強と直接相対しました。これによって長州・薩摩の両藩が国際情勢のリアリズムを中央の徳川幕府よりもはるかに深く知ることになり、明治維新を牽引していくことになるのです。

「基礎科学」の有無が植民地化の分かれ道

1856年、江戸幕府は、後1863年に「開成所」と改称されて東京大学の前身ともなる「蕃書調所(ばんしょしらべしょ)」を設立しました。幕府直轄で、洋学教育ならびに洋書や外交文書の翻訳を行う洋学研究機関です。

先に触れたように、幕末から明治期は、大量のヨーロッパの書物が日本語に翻訳された時代でした。

欧米列強の植民地政策がアジア地域で展開される中、アジア諸国と日本の決定的な差は科学に対する取り組みにありました。開成所での研究を中心に、日本人が認識したのは基礎科学の重要性でした。

たとえば、当初は精錬学と呼ばれた化学の教官を担当していた竹原平次郎はフランスの化学者ギラルジの『化学入門』を翻訳し、物理学の教鞭を取っていた市川盛三郎はドイツから招聘(しょうへい)した理化学者リッテル口述による『理化日記』をまとめました。

1870年に開設された大阪開成所では、オランダ人化学者ハラタマの同校での講義録『金銀精分』が出版されました。

この他、医学関係で言えば、日本陸軍軍医で日本赤十字社社長を務めたことでも知られる石黒忠悳(ただのり)が翻訳編集を務めた『化学訓蒙』が出版また増訂されるなど、当時の日本人の知識欲の旺盛さには深い敬意を表すばかりです。

江戸時代の杉田玄白の『解体新書』は有名ですが、慶應義塾出身の医学者・松山棟(とう)庵(あん)が1868年に翻訳出版したアメリカの医学者フリントの『窒扶斯(チフス)新論』、オランダの陸軍軍医バウドインが1870年に東京大学医学部の前身である大学東校で行った講義の記録『日講記聞』、1871年に出版された海軍病院で行われたイギリスの医師ホイーラーの解剖学講義の翻訳『講筵筆記』など、医学書の発刊が活発に行われました。

一方、日本の数学は著しい特異性を持っていました。理学や医学についてはそのすべてが欧米書籍の直訳による知識吸収でしたが、数学は江戸時代にすでに日本固有のものを持っていました。「読み書きそろばん」と言われる商算、和算が学問として成立していたのです。

1627年に京都の和算家・吉田光由が著した『塵劫記（じんこうき）』は西洋にもひけをとらない算術の名著です。関流七伝免許皆伝の和算家にして参謀本部陸地測量部の測量官を務めた陸軍技師・川北朝鄰（ともちか）が1872年に著した『洋算発微』は日本人が書いた洋学系の数学書物として敬意を表さなければなりません。

長崎の海軍伝習所出身で後に咸臨丸の航海長を務める和算家の小野友五郎が軍艦の操縦、ならびに航海に必要な西洋数学の習得が早かったのも、こうした日本の伝統があるからです。

工業技術については細々と電信、鉄道、造船、造幣の輸入が進んでいました。

1872年に機械工学の入門書である田代義矩が編んだ『図解機械事始』が出版されています。蒸気機関についての解説が水車の機械と並んで紹介されています。

日本は、極めて短期間で大量の西洋の書物を整理しました。こうした現象は、アジアはもちろん世界でも例がないほどです。

1886年、明治政府は「小学校令」を出し、小学校を尋常・高等の2段階に分けて各4年制とするとともに、尋常小学校の4年間を義務教育としました。元々勉強熱心で識字率が高かったということもありますが、識字率については明治期においても産業革命に成功したイギリスを大きく上回っていました。

東大工学部の前身である工部大学校の初代校長を務めた大鳥圭介が１８８６年、今日では日本学士院となっている政府機関での演説で、次のように述べています。

「今日ヨーロッパは世界のすべての国々を支配して植民地にしているが、人口からするとアジアの方がヨーロッパより三倍程度多い。それなのにアジアがヨーロッパ人に蹂躙されているのはとりもなおさず教育が不足しているからだ。これからは日本人に教育を行い、国民がより学びヨーロッパを凌駕しなければいけない」

大鳥圭介は元幕臣として翻訳係を務め、函館政権の陸軍奉行の地位にありました。戊辰戦争後に新政府に出仕し、教育者として日本の工業技術の発展に尽くしたという人物です。

１８８６年は、帝国大学令が出されて高等教育機関の整備が佳境に入っていく年でした。明治初期から数多く登場してきていた私学は１９１８年の大学令で大学として組織化され、日本の教育体制はさらに整っていきます。日本人がそもそも持っていた「もの」への関心、工学の才能、数学の才能の開花を促進していくのです。

日本軍の強さは、「技術力」と「人間力」にあり

軍隊の在り方というものも、日本は特徴的でした。明治時代後期に「日清戦争」「日露戦争」と、大国と言われた国に連勝した要因には「技術力」とともに「人間力」がありました。

日清戦争は1894年から2年間にわたる戦争でした。

当時の清は「眠れる獅子」と言われ、大国ながらもヨーロッパ諸国による利権奪取が進み国力も落ちていました。清を宗主国としていた朝鮮は重税などを原因として民衆は疲弊し、内乱状態となり、「東学党の乱」が起こります。朝鮮は宗主国である清に鎮圧を要請しました。

日本と清との間には「天津条約」という条約が結ばれていました。天津条約には、日清両国の朝鮮に対する派兵・撤兵の条件条項があり、日本は内乱からの自国民の保

護を名目に朝鮮半島に派兵します。日清両国の軍がぶつかり、戦争が開始されたのです——。

朝鮮の首都ソウル付近で両国の軍隊は対峙しました。日本が攻勢に展開し、一気に清国内に転戦します。日本は黄海などの制海権も奪い、翌年3月には清の首都・北京に迫る勢いとなりました。

清との戦いは基本的に陸上戦でした。着剣命令が出て兵隊一同が鉄砲に銃剣を着剣、目前の敵軍に向けて身構え、ラッパの合図とともに敵に突撃します。当時は近接戦闘用の兵器で戦う白兵戦が主で、銃弾の雨の中、命を顧みることなく突撃していくという戦いが、陸上戦というものでした。

日本軍は、はるばる大陸に渡ってきて見知らぬ土地で清の兵隊と相まみえようという勇敢な兵の集合体でした。日本を守る、そして日本に暮らす親兄弟を守るために、勇気を奮い立たせて戦いました。

清の軍隊は日本軍とは対照的でした。清軍の兵隊はある程度のところまで攻め込まれると逃げ出していくのです。どの戦場においてもこれは変わりませんでした。

こうした清の兵隊の態度は当然と言えば当然でした。清ばかりでなく、中国大陸で勃興を繰り返してきた王朝には、愛して守るべき伝統、守るに値する深い一体感、あるいは国といったものがないからです。

中国四千年の歴史などと言われますが、それは現在の中華人民共和国の対外的なプロパガンダというもので、多く見積もってもその歴史は2000年、それも中抜け、虐殺、属国化の歴史です。

そもそも「中国」という国は存在しません。アジアの大陸に存在する「China」という場所に「漢」「唐」「宋」「元」「明」「清」などの王朝が交代していき、それぞれの覇権が打ち立てられたに過ぎません。

王朝の交代は前王朝を完全否定することによって完成します。新しく成立した王朝は前王朝の財宝をすべて奪い、さらには前王朝の墳墓をすべて掘り返して遺骨をバラバラにさえしてしまいます。

前王朝の権威をすべて否定してみせて、改めて自分たちが新しい国を打ち立てる、というのが中国の王朝の歴史です。そこには継続性など微塵もありません。

清は元々、万里の長城の外にある満州を本拠としていた北方系の女真族が立てた王朝です。1616年に天命帝が満州に建国し、1644年いわゆる漢民族を制圧して北京に遷都しました。

4代康熙(こうき)帝の頃に台湾を属国化し、北方領域ではロシアと交渉して国境を安定させます。6代乾隆(けんりゅう)帝の頃までには中華地域一帯を勢力下に収めるに至りました。1700年代までは世界に冠たる帝国でした。

19世紀に入ると、人口爆発やそれにともなう食料危機、経済停滞、内乱などで国力が低下するとともに、新たに、ヨーロッパ諸国の進出という対外問題を抱えることになります。1840年のイギリスとのアヘン戦争で清は大敗し、さらに日清戦争でも大敗しました。

清の軍隊が必死に戦わなかったのはその後の自国の運命を感じ取っていたからかもしれません。清は、日清戦争のすぐ後、1911年に始まる辛亥革命で滅亡したのです。

日本は、日清戦争時点で皇紀2554年、皇統が数千年にわたって引き継がれている国です。天皇の下、民はすべて平等であるという一体感が脈々と受け継がれているのです。

故郷を守る、家族を守る、民をひたすらに思う天皇のありがたさを守るという思いで一致団結して敵に立ち向かっていたのが日本の軍隊でした。

技術への関心の高さを教育体制がバックアップすることで、日本の技術力は瞬く間に向上していきます。1904年から翌年にかけての日露戦争の勝利も、その背景には日本の技術力がありました。

「日露戦争」を勝利に導いた、下瀬火薬と伊集院信管

日露戦争における勝利を決定付けたのが日本海海戦での大勝ですが、その時に活躍した技術が「下瀬火薬」と「伊集院信管」でした。

下瀬火薬は日本海軍技官の下瀬雅允が開発した火薬です。

その特徴は、金属と反応してしまうピクリン酸をどう装填するか、そのアイデアにありました。下瀬雅允は砲弾の内側に漆を塗ってピクリン酸と鉄を分離することを考案してこの問題を解決します。

これにより爆発した時の温度も高めることができました。何より当時の火薬の主流であった黒色火薬に比較して発射時の黒煙が非常に少なく、発射した後の準備が容易

になり、連続発射を可能にしました。「日本艦隊の大砲の発射間隔は、ロシア艦隊の10倍短い」、と言われました。

伊集院信管は、日本海軍大佐・伊集院五郎が考案した信管です。信管とは、弾薬を計画通りに爆発させるための装置です。

砲弾の安全装置が飛行中に外れるのが特徴で、極めて敏感に反応し、砲弾がどこに命中しても着実に爆発するよう設計されていました。

日本には、こうした兵器そのものの先進性に加え、命中精度を上げる発射技術と計算力が備わっていたのです。

ちなみに、日露戦争はロシアの南下政策に対して日本が国防体制を採り、両国の国益確保にとっての重要地域である朝鮮半島を巡って起こった戦争です。

日本は勝利しましたが、ロシアの脅威は未だに強く、朝鮮半島の情勢は日本の国防を直接左右するものでした。

１９１０年、日本は韓国併合を行って、大韓帝国を統治下に置きます。

韓国併合については当時の国際関係と倫理観で考えて処理しなければならず、現在においての朝鮮半島は朝鮮民族のものであるという現行の国際常識に沿って考える必要がありますが、今の朝鮮半島に暮らす人々および日本国内の一部の人々には、1910年に日本は朝鮮を植民地化して35年間にわたる過酷な植民地支配を行った、という考え方があります。

韓国併合において日本は、植民地政策ではなく同化政策をとりました。

植民地政策とは、支配下に置いた地域から何もかもを搾取する政策です。そのためには残酷な手段もとります。

たとえば、イギリスはインドを植民地としましたが、自国の綿産業の利益を守るために数万人のインド現地の綿職人の手首を切り落とした、といった話が残っています。

植民地政策および植民地支配とは、そういうものです。

当時はすでに台湾も統治下にありました。日本は、朝鮮人も台湾人も日本人も皆同じであるからみんなで発展しよう、大日本帝国としてまとまった限りは同じように発展しよう、という思想の下に統治政策を展開していきました。

たとえば、日本は1924年、大阪と名古屋での計画を延期してソウルに帝国大学を設立しています。

「平等」を軸とする、日本人の国際意識

幕末から明治以降、日本の国防の脅威であり続けたロシアは、ヨーロッパからアジアにわたって広大な領土を保有する大帝国でした。とはいえその広大な領土のほとんどは寒冷地であり、温暖な気候の領土、年間を通して凍結しない港の獲得を国家戦略の一つとしていました。

１８６７年に当時の額面７２０万ドルでアメリカに売却するまで、アラスカを領土としていたこともあります。広大な国土は当時世界一でしたが、アラスカは本国まであまりにも遠く、毛皮猟などで開発を試みたものの採算がとれずに撤退しました。

南方の黒海沿岸への進出を図った結果、１８５３年、トルコとの間に「クリミア戦争」が勃発します。戦闘地域の規模を含めてたいへんな激戦となり、イギリス、フランスの介入を招いた結果、ロシアは敗北して南下政策は失敗に終わりました。

ロシアはアジア方面に軸足を移し、大陸の東側に不凍港を求め、南下政策を展開し

ます。シベリアを征服し、1860年にロシア軍の前哨基地として日本海に面したウラジオストクという街を建設しました。ウラジオストクとはロシア語で「東方征服」という意味です。

冬には凍り付くことも多いウラジオストクは不凍港とは言えず、ロシアは、南方の清の領土に触手を伸ばし始めます。満州の利権を獲得すべく、満州地域にシベリア鉄道敷設を計画します。

清からすれば外国の鉄道が通るわけですから国内の大問題となるのが常識ですが、この計画は実現します。当時の清は崩壊直前で内政は腐敗し、官僚たちは賄賂を渡され、ロシアのいいように扱われました。ロシアはさらなる南下を求め、満州鉄道の朝鮮半島への延長を計画します。

日清戦争における日本の勝利はロシアにとってたいへんな不都合でした。下関条約によって朝鮮は独立し、清の属国状態から主権国家の体裁となったからです。

しかし国際情勢というのは複雑で、朝鮮の独立は、かえって、国内に満州鉄道敷設を許可しようというロシアに有利な動きを生みます。朝鮮は王朝と両班（ヤンバン）という貴族階級が二重に支配する国家であり、経済的・実質的な支配層である両班の勢力がロシアの戦略にのったのです。

鉄道はおろか軍港まで造らせようという話になりました。幕末以来のロシアの脅威がいよいよ眼前に迫ることになった日本は国防のために日露戦争を覚悟せざるをえませんでした。

日露戦争の勝利後、日本は韓国を併合しますが、ソウルの帝国大学設立をはじめとする同化政策による統治を行います。朝鮮人も日本人も平等な制度の下で共に発展してこそ大日本帝国の国防は実現するという考え方です。

帝国大学として最初に成立したのは1886年の東京帝国大学です。1897年に京都帝国大学、1907年に東北帝国大学、1911年に九州帝国大学、1918年に北海道帝国大学が設置されました。

そして、1924年に朝鮮に京城帝国大学、1928年に台湾に台北帝国大学が設立されました。

北海道大学の次は大阪、名古屋に帝国大学が設立される予定でしたが、朝鮮と台湾での設立を急いで後送りとなりました（大阪帝国大学は1931年設立。名古屋帝国大学は1939年設立）。

こうしたことは、ヨーロッパ型の植民地政策ではなされるはずがありません。日本のアジア諸地域への政策には、信念と配慮というものがあったのです。

清の属国だった時代、朝鮮では、王侯とそれを取り巻く貴族層である両班が国を支配していました。属国であり、かつ国内に強固な支配者がいるという構図の国であり、国民の生活水準はたいへんに低いものでした。学校制度もなければ国民の識字率も低く、鉄道などのインフラも整備されず、郵便事情も悪く、産業も振興されず、農業生産量も低く、国民は貧しさにあえぐ生活を強いられていました。

韓国併合後、日本は朝鮮に対して、鉄道の敷設、病院の設置、初等学校制度の確立など社会インフラの整備に励みました。日本の統治期間に朝鮮半島の人口は2倍以上になり、識字率も飛躍的に向上したのです。ただし、こうした事実は、作為的であるかどうかは別にして、朝鮮半島の人々にはあまり理解されていないようです。

一方、同様の同化政策の下で統治されていた台湾には、日本の統治時代を好意的に受け止めている人々が多くいらっしゃいます。

第5章 日本の特長

豊かな自然が生んだ、唯一無二の国・日本

「大仏鋳造」のすごさ

日本人の科学や技術の到達レベルは、古代においても非常に高いものがあったというお話をしておきたいと思います。

まず、最も象徴的なのは「奈良の大仏」です。

奈良の大仏は、第45代聖武天皇の御世、745年から752年にかけて製造されました。

天災や疫病の多かった時代でした。聖武天皇は鎮護国家建設の方針の下、仏教思想の浸透を図って日本全国に国分寺、国分尼寺を設け、その中心として奈良に「東大寺」を建設しました。奈良の大仏は正式名を「盧舎那仏像」（るしゃな）という、東大寺大仏殿の御本尊です。

盧舎那仏は壮大な像で、総重量500トン、高さ14・7メートル、基壇周囲は70メートルに及びます。

一般的に古代の構築物で有名なものと言えば、まずはエジプトのピラミッドが挙げられるでしょう。

大きな石を四角に切り積み上げていく建築物で、これだけ巨大なものをつくり上げた古代技術ということでは評価されています。

時代はかなり後のこととなりますが、コンスタンティノープルの巨大な城、あるいは日本の城の石垣など、見事な石の建築物は世界に多く見られます。

石を加工するという点においては土木技術の範囲であり、岩をくりぬいて積み上げるという作業の規模を広げていくことで可能となる建築です。石をくりぬいたり積み上げたりして造るという技術は、北アメリカのマヤ文明、アステカ文明、インカ文明などでも見られます。


一方、奈良東大寺の盧舎那仏は金属である「銅」を使っています。それには、鉱物から銅を取り出すという「鋳造技術」が必要になってきます。

奈良時代は、すでに青銅器時代から鉄器時代に移り、鋳造技術もかなり進歩していた時期ではあります。

しかし、当時行われていた鋳造技術では、銅剣や銅鐸(どうたく)、銅鏡などの小さなものをつくり出すのが精一杯でした。

奈良の大仏のような巨大なものを鋳造するためには別の技術が必要です。銅鐸や銅鏡が一つ数百グラムでしかなかったことを考えると、総重量500トンの銅の鋳造だけでも、特別な科学の考え方、画期的かつ具体的な技術が必要であっただろうことがわかります。

当時の銅の加工品づくりにおいては、小さいものなら山肌に存在する自然銅を使いました。

銅は還元されやすく金属になりやすいので地表で自然に金属銅になるものがあり、それを自然銅と言います。自然銅であれば、それを集めてきて溶かし、型に流し込むという作業で済みます。

使う銅の量も少ない銅製の飾りなどなら、それほど高熱にする必要もありませんし、燃料もわずかで済みます。型に流し込んで表面を加工すれば、それででき上がってしまいます。

しかし、総重量500トンもの銅を手に入れようというのであれば、自然銅では到底、量が足らず、鋳造して用意しなければなりません。鋳造しようというのであれば、銅鉱脈を持つ大きな鉱山が必要です。

銅鉱脈とは銅の硫化鉱物、酸化鉱物、炭酸塩鉱物などのことを言います。それらの鉱物から酸素や硫黄を取り除いて銅にします。

そして、その作業を行うためには、１０００℃近くの温度を生む方法と大きな炉が必要です。

奈良の大仏の原料となった銅鉱石は、現在の山口県の長登銅山のものです。

ここの銅鉱石は銅とヒ素が一緒に出てくるために、約１０００℃で溶ける一般の銅鉱石より融点が低く、９００℃ほどで融解します。その特徴から、長登銅山が選ばれたことは間違いないでしょう。それでも当時、５００トンもの銅を精製するのはたいへんなことでした。

長登銅山の銅鉱床は、銅鉱石の含有率が5パーセントから8パーセントでした。掘り起こした鉱床から銅を精錬して、船で近畿地方まで運びます。そこで再び銅を溶かして、鋳型に流して大仏の部分的なところをつくります。

もちろん組み上がった時の強度などを計算して、厚みなどを決めなければなりません。大仏の下のほうは銅を厚くし、上に行くほど銅を薄くします。

さらに内部の空洞をどのくらいにすれば安定するのか、強度が保持できるのかなどを正確に計算し、仏像が自立できるようにしました。工学の理論もなく、計算機もない時代によくやったものです。

さらに、銅ばかりでは表面が光り輝かないので、大仏全体に金箔を塗りました。貼るのではなく、塗ったのです。

金はとても柔らかい金属なので、叩けば叩くほど薄く伸ばすことができます。現代では金箔職人が金を叩いて延ばす技術が進み、1立方センチメートルの金から10平方メートルの金箔をつくることができます。その厚さは、実に0・0001ミリメートルです。

しかし、奈良時代にはまだ金箔技術が発達していませんでした。金を水銀に溶かして「アマルガム」をつくります。すると金が液体の水銀に溶けた状態となり、刷毛で大仏に塗ることができました。

アマルガムを塗った後、松明（たいまつ）を燃やして加熱し、水銀を蒸発させました。大仏表面から水銀が除かれて金だけとなるので、金箔を貼ったのと同じような形となります。

水銀は人体にとって有害です。この作業に従事した人々が水銀中毒になったという記録もあります。

銅鉱石の採掘、鋳造から大仏建立、金箔を施すまでの過程には想像を絶する技術の粋が集められていたとともに、苦心惨憺がありました。

大仏鋳造にともなう最先端の技術がなぜ8世紀の日本にあったのか、それは世界史的に見ても大きな進歩と言えるものでした。

日本では、銅の多くは火山が噴火する時にマグマとともに地上に出てきます。その銅の鉱脈は地表近くで横に流れ、銅の鉱山をつくります。島根県には石見(いわみ)銀山もあり、四国には水銀の鉱脈もあります。

また、水銀は金や銅と同じ「銅族元素」と呼ばれるもので、一緒に出てくる傾向があります。奈良の大仏の建立は、そうした自然環境の中、当時の日本人が技術の粋を駆使して成し遂げた科学技術史上の奇跡と言っても過言ではありません。

奈良の大仏は地震や天災の多い日本列島を鎮める目的で聖武天皇が建造されましたが、偶然ではありません。

日本列島の地学的な意味合いと自然環境、日本人の科学への関心と勤勉さなどが総合的にかかわり合ってこそ、奈良の大仏は生まれたのです。

てておきましょう。

奈良の大仏に関連して、日本人の素晴らしさを示すものとして「大仏殿」の話もしておきましょう。

東大寺の大仏殿は世界で最大の木造建築です。自然の木材を利用するという点でも、大仏殿は世界に誇れる文化の一つと言えます。

現代でも宮大工がその建築技術を受け継いでいます。法隆寺の建築物なども同様ですが、木組みが実に精密です。

一本の木を切り出してきて手斧で切り、鉋（かんな）で表面を削り、形を整えます。木の特性を見極め、一本一本の丸太が切り出した後に乾燥して膨張・収縮を繰り返すことも計算に入れ、釘をほとんど使わずに、ぴたりぴたりと組み立てていきます。

現代のような、数字で計算されつくした建築技術ではありません。均一化された材木を組み立てるわけでもなく、そのほとんどが経験と勘の積み重ねの宮大工の力でつくり上げられます。そうした技術が結集して、大仏殿のような、巨大で、しかも頑丈な木造建築物が成立しています。

*

高度な技術力を「軍事」から「美術」へ

興味深いことに、日本の建築技術の歴史を考えてみると、法隆寺や東大寺の大仏殿のような巨大なものからスタートして徐々に精密さを増し建築物が小さくなっていく傾向があることがわかります。

わかりやすく言うと、「東大寺の大仏殿が、千利休の茶室になっていく」ということです。

建築物ばかりではなく陶器のようなものまで、大掛かりなものから小さく精密なものになっていきます。実はこの伝統は、縄文時代の遺跡などからもうかがい知ることができます。

日本は戦後の高度経済成長期に、電化製品などをコンパクト化する技術が高く評価されました。真空管を使っていたラジオをトランジスタを導入して小型化し、テレビも、自動車も小型のものをつくりました。

韓国の文学博士である李御寧（イオリョン）が著書『「縮み」志向の日本人』（講談社、2007年）で分析し、「縮み志向」という言葉が注目されたことがありましたが、大きなものから小さくて細かなものへ技術を深めていくことは日本の得意分野なのです。

これもまた、日本では伝統的に自然に向き合う気持ちから文化が育まれることの好例として考えて間違いないでしょう。

いずれにせよ、日本の大工の棟梁（とうりょう）は、図面もないところで巨大な建築物をつくり上げ、地震や台風にも耐えて1000年を超えてなお揺らぐこともなくそびえ続ける建物をつくり上げるだけの建築技術を持っていました。

パソコンの図面やコンピュータによる計算、設計と施工の分離体制などは、どちらかと言えばむしろヨーロッパの低い技術の焼き直しなのです。

日本の技術に対する関心と興味は古来、世界のトップレベルにありました。そして、大砲や軍艦をつくるといった軍事目的より、工芸品や美術品などの方面に研ぎ澄まされた完成度を見せてきました。

日本刀は武器としても世界的にレベルの高いものですが、鋼の製造過程といった技術的な面、鍔（つば）や拵（こしらえ）といった工芸的な面において評価が高く、武器と言うよりむしろ美術品としてのレベルで語られています。

日本人の科学や技術についての研鑽がどれだけ平和的で合理性に富んだものなのか、それは東大寺の大仏建立時の日本以外の国々の技術と比較してもよくわかります。

日本人は古代から技術を芸術化していくという経験をしてきています。

そんな日本人が、明治維新では文明開化と称して、技術を軍事目的に使うという、より未熟な文化を持つヨーロッパを称賛しました。

そしてまた、いわゆる平和主義を掲げる文化人が未だにヨーロッパの文化を尊敬しているのはいかがなものでしょうか。

通説より古くからあった「稲作文化」

「稲作」は、忘れてはならない日本を代表する文化、技術と言えるものの一つです。

学校の歴史教育などを通して、「稲作は中国から朝鮮半島を経由して日本に渡ってきた」と一般的には考えられています。稲の原産国は東南アジアのタイやベトナムあたりとされており、稲作は中国から朝鮮半島を経由して渡来したと考えてしまうのは不思議ではありません。

しかし、最近はＤＮＡの解析が進んで、旧来有力とされていた朝鮮半島経由説ではなく、中国大陸の南方から、あるいは南方の島から直接渡来したのではないかという説が有力です。

日本の教科書検定基準の一つに、「近隣諸国条項」というものがあります。教科書として採用されるためには「近隣のアジア諸国との間の近現代の歴史的事象の扱いに国際理解と国際協調の見地から必要な配慮がされていること」が必要であるとする、

1982年に規定された条項です。

稲作は中国発朝鮮半島経由であるという説がほぼ常識化してしまっているのは、この近隣諸国条項に大きく関係します。今でもそれは変わることはありませんが、一時期、教科書を検定する側が近隣諸国条項により、表記において中国や朝鮮の文化が優れているという前提を強要していた、という背景があるのです。

つまり、「日本は文化・文明の遅れた地域だった」という表現をしないといけない、と政治的に決められていました。

考古学者の江上波夫が「騎馬民族日本征服論」を提唱した1967年の『騎馬民族国家　日本古代史へのアプローチ』（中央公論社）が、近隣諸国条項が規定された直後の1984年に復刊して話題になったことがあります。

「日本は東北ユーラシア系の騎馬民族に征服されてできた国である」、という説ですが、これなどは、近隣諸国条項に従い、政府や他国に胡麻をすって名を売りたい反日学者ならではの説であると言えるでしょう。

そしてまた、日本の歴史学者や文部省は、日本の子供には日本の文化や技術や『古事記』『日本書紀』を教えないということを支持してきました。日本の素晴らしさには触れず、むしろ貶めることで相対的に中国や朝鮮の文化を高めるのが狙いです。世界のどこへ行っても、自分の国を事実より悪く言って喜ぶ国などありません、日本だけです。

よく言われる「すべての文物は朝鮮半島から渡ってきた」という説は、最近、むしろ逆であるとも考えられています。

１９９０年以降、朝鮮半島の南部で日本独特の「前方後円墳」が続々と発掘されています。時代考証によってその多くが日本から伝わったものであることがわかっていますが、現代の朝鮮の人や日本の文化人の多くは歴史的事実をそのまま認めようとはしません。

直近の研究によって、稲の渡来は中国南方、しかも縄文時代にはすでに渡来していた、と大幅に修正される可能性があります。縄文時代と弥生時代には土器の形態や文様など確かに文化的な違いはありますが、「縄文時代は狩猟生活」「弥生時代は稲作文化」という線引きはできないのです。

「稲作文化」というくくりで言えば、それはむしろ縄文時代のかなり古い頃から始まっていました。時期で言うなら縄文中期であり、つくられていた品種も独特です。

いずれにしても稲作文化は日本において、私たちが思っている以上に古くから始まっていました。そうした背景を持つ日本文明には、私たち日本人が自然を理解しながら育んできた自然への理解や愛情、そして技術と工夫があるのです。

*

ここで少し、歴史的な話から科学的な話に移りましょう。

生物は最初、空気中の二酸化炭素を吸収して炭素にする植物としてスタートしました。そのうちに動物が誕生し、二酸化炭素から炭素にするプロセスを省略して、直接植物を食べるようになりました。

ちなみに二酸化炭素は最近、一部の勢力の情報操作につられて「地球温暖化ガス」と呼ばれることが多くなっています。

つまり、動物は進化しすぎてしまい、「自分の食べ物を自らつくることができなくなった」と言えます。

すべての動物は食物連鎖の中に入り、光合成のできる植物からエネルギーを受け取って生活しています。ある人々が地球温暖化ガスと呼んで毛嫌いしている二酸化炭素があるからこそ生物は生きているのです。

動物は、二酸化炭素を吐き出すことはできても二酸化炭素を食べることはできません。植物が光合成によって大気中の二酸化炭素を炭素にして初めて動物が生きていけるのです。

「少し地球の気温が上がってきたから……」といった浅知恵で二酸化炭素を減らすなどすると食料不足となるでしょう。最近の日本社会はお金のことばかり考えていますから、補助金がもらえるとか、あるいは見かけの評判を良くしようといったことを理由に、簡単に、二酸化炭素を減らすことは良いことだ、という風潮に賛同してしまいがちです。

1970年代のアメリカに始まった「炭水化物忌避」という健康法が未だに信奉され続けていますが、私たちが生きていくために最も大切なものを避けるのはたいへん大きな問題です。

地球が生まれて約46億年が経ちました。初期の地球上の大気は95パーセントが二酸化炭素でした。二酸化炭素が多かったので、それを食料とする生物が誕生したのです。生物が生まれた時には95パーセントもあった二酸化炭素も、海に吸収されたり、生物が食べたりして、現代ではわずか0・04パーセントとなりました。

二酸化炭素がまったくなくなってしまえば人類を含む地球上の生物はすべて絶滅す

ることになります。地球上の生命の量からして、筆者の計算によれば、ほどなく二酸化炭素不足になるでしょう。

稲の特徴は人間にとって、極めてありがたいものです。稲は自分が光合成してつくった炭素の約半分を人間に提供します。

植物の多くは、幹をつくり、葉を茂らせ、実をつけるために二酸化炭素を吸収して育ちます。そして、そのうち枯れてしまいます。

ところが稲は、育ち、米粒をつくり、そして人間のために稲穂を残して枯れます。生物は自分だけが生きていくことを基本としますが、稲は人間との共存関係にあって、生きているうちに働いて二酸化炭素を炭素にした約半分を人間に残して死ぬのです。

人間にとってこれほど「恩」を感じるべき生物はいないでしょう。稲が食べる二酸化炭素を「少し気温が上がる」というだけでまるで悪者のように言う人は、「自然との関係を重視せず、人間の利得だけを見ている」、あるいは「人間が自然の恩恵を受けていることを知らない恩知らず」であることは間違いないでしょう。

風土と慣習から生まれた、伝統的な木造家屋

日本とヨーロッパの地理的条件、風土や習慣などの違いに目を向けて考えてみましょう。

ヨーロッパはユーラシア大陸の西の端に存在します。比較的高緯度に位置し、気候的には多くの地域が亜寒帯から寒帯です。湿度についても比較的乾燥している地域が多いのです。

島国のイギリスはメキシコ湾流に接しているために湿度は高いのですが、ヨーロッパの内陸は静電気が発生しやすい乾燥地帯です。そうした環境ですから、ヨーロッパ地域では多くの廃棄物は土に埋められます。

ヨーロッパの住まいは石やレンガ造りが主流です。頑丈な資材ですから丈夫で長持ちをします。イギリスの家屋の平均耐久年数は１３０年と言われています。第二次世界大戦で爆撃を受けて壊滅状態となりましたが、ドイツの家屋の平均耐久年数は90年

ほどです。

石やレンガでつくられているとはいえ、気候が乾燥しているので、家の中で結露は起こりません。

乾燥しているということは、衛生的にも問題は少ないということです。埋葬も日本とは違い、ヨーロッパでは遺体をそのまま土葬します。


一方、日本の気候は高温多湿です。食品などを放置するとカビが生えたり、黴菌(ばいきん)が発生したり、ダニがわいたりします。

人が亡くなれば、速やかに火葬して荼毘(だび)に付します。これは仏教的な風習であるというだけではなく、高温多湿な環境における衛生面への配慮から広がったものです。

日本の伝統的な家屋は木造で、夏場の暑さをしのぎやすいように風通し良く設計されます。土や紙などの自然素材を多く使って、湿気がたまらないように配慮されています。

平均対応年数も26年と言われています。これはほぼ一世代にあたります。日本家屋においては代替わりをするたびに建て替えるということもたびたび行われます。建築材も自然素材のものが多いので燃やすことが可能です。

日本では、廃棄物については、そのおよそ8割が焼却処理されます。焼却処理は衛生面でも効果的です。

さらに、焼却処理すると体積が20分の1になります。国土の狭い日本では焼却処理することで廃棄場所に困らないようにしている、というわけです。

ヨーロッパ諸国では多くの廃棄物を埋設して処理していますから、埋め立て用地もすぐに手狭になってしまいます。

埋められた廃棄物はなかなか腐食しませんから溢れ出てしまうこともあり、埋め立て地の周囲の環境を汚染する場合もあります。

環境問題はそれぞれの国や地域で異なる

筆者は長年にわたって環境問題について発言を続けてきました。テレビでは環境評論家という扱いをされ、現代の環境問題に関してかなり批判的な意見を述べることも多々ありますが、本当の専門は資源工学です。

資源工学というのは、鉱物資源を有効に活用するとともに自然環境にもいい方法を研究する学問です。そのために、「より良い環境」という、いわば抽象的な目標のためにさまざまな基準を設定しなければなりません。

基準とは、たとえばコストです。より経済的で合理的に運営するためにはどうするかを考えます。

公害を起こさないようにするためにはどうしたらいいか、今より良い暮らしをするためにどうすればいいか、ということを「科学的に」明らかにするというのが大きな意味での工学者の仕事です。

工学者にとって環境問題とは、人間が幸福に生活するために必要なことを問い続ける、ということでもあります。

人間にとって幸福とは何か、人間が幸福になるためには何が必要なのか。ある人にとってそれはお金であり、ある人にとっては仕事であり、ある人にとっては愛情であり家族であり、ある人にとっては社会的な地位や名声であるかもしれません。幸福を感じる基準は人それぞれに異なります。

環境問題も同じことが言えます。それぞれに異なる地域の生活環境を基準に考える必要があるのです。

リサイクルは環境に良いと言われています。資源は有限なので無駄に使うとなくなってしまいますから、資源の無駄使いをしないという点ではリサイクルは必要です。化石燃料は有限ですからいつかはなくなってしまいます。だから大事に使おう、というのは道徳的には間違っていないでしょう。しかし、「地球は温暖化している。温暖化ガスの二酸化炭素を排出するのは地球の環境を悪くする。だから温暖化ガスを出さないようにしなくてはいけない」と言われると、それは疑問です。「本当にそうだろうか？」と考えてしまいます。

「リサイクルは環境に良い」とか「温暖化ガスを出すと地球の環境が悪くなる」という言い方は、そのほとんどがヨーロッパから出た考え方です。ヨーロッパで生活する人々がヨーロッパの環境や風土・風習で生活する中でこそ必要なことです。そして、アジアやアフリカ諸国などの経済発展を邪魔するために必要な考え方なのです。

一方的な考えを具体的に検証することなく、そのまま受け入れてしまうのは問題です。同じ効果になるということはありません。

環境問題はそれぞれの地域の生活環境や風土を検討した上で考える必要があります。そして、国際的に「良い子」になろうという発想ではなく、自分の国に有利になる方向を模索する。それが各国の環境問題の考え方の基本です。

レジ袋が海洋生物のお腹の中から出てきたり、ウミガメの鼻腔にストローが突き刺さっていたりといったショッキングな映像をご覧になったことがあるかもしれません。これらの多くは廃棄物の埋没処理をしているヨーロッパ諸国のごみが原因であるとも言えます。

また、そうした映像を流す裏には、先に触れたようにアジアやアフリカ諸国の発展を抑えるためにプラスチックの使用を抑制させよう、という目的もあります。

つまり、日本でレジ袋を有料化したり、プラスチック製ストローを使わないようにしたり、割り箸を使わないようにしたり、といったことはほとんど意味のないことなのです。ヨーロッパでリサイクルをしているのだから日本でもリサイクルすべきだという主張は、環境を良くするという意味においてはほとんど意味がありません。

地球温暖化についても同じことがいえます。

日本は温帯に属する島国です。世界を見渡してみると、そもそも地理的に温帯の島国はほぼ日本くらいしかありません。似たような環境という意味ではイギリスやニュージーランド、マダガスカルなどが挙げられますが、イギリスはほとんど亜寒帯と言ってよく、ニュージーランドはまだ人が住み出して数百年であり、マダガスカルは日本とは気候がずいぶん違います。

温帯の島国である日本では、偏西風が吹き付けて、湿気を帯びた雨の多い環境となります。日本列島は太平洋の西側に沿って連なっていて常に偏西風にさらされているために、二酸化炭素が発生しても太平洋上に吹き抜けていきます。二酸化炭素は海水への溶解度が高いので、雨が降ればすぐに海中に溶けてしまいます。

海中に溶け込んだ二酸化炭素は植物性のプランクトンに栄養分として取り込まれま

す。植物性プランクトンは、動物性プランクトンのえさになり、動物性プランクトンは魚類のえさになり、海の食物連鎖に取り込まれます。二酸化炭素が海に溶け込むことで、海の栄養環境が良くなるのです。

ところがヨーロッパでは事情が違います。ユーラシア大陸の西側にあるヨーロッパでは、二酸化炭素が発生すると偏西風にあおられてロシアや中央アジア、シベリアなどの寒冷な地域に流されていきます。寒冷な大地では植物の発育も遅いので、二酸化炭素を吸収するのはたいへんです。

こうした事情があって、ヨーロッパ諸国が二酸化炭素を放出することは直接的に温室効果ガス蓄積につながってしまう、というわけです。

環境というものは、地理的な要素や風土、地質的な要素が大きくかかわります。そうしたことを無視して一律に地球規模の環境を論じるのは無理があります。

世界でも珍しい「温帯の島国」

日本という国は、世界の国々と比べ、極めて独特です。独特の国民性を持っていることをしっかり理解し、他の国々と違うということを意識するのは大切なことです。日本においては正しいと思われていたことが世界共通ではないこともたくさんありますし、世界共通だから日本人もそれに従わなくてはいけないということでもありません。

すでに触れたように、日本は世界でも珍しい「温帯の島国」です。この地理的な違いが、国民性や文化、風俗などの点で独特なものを生む基盤になっています。

それに加えて、日本列島の面積は約37万平方キロメートルで、広くもない、狭くもないということがあります。あまり狭い島国だと人口も多くなりません。人口が少ないと文化も育たないのです。人口が1億人を超すくらいになると、それなりに独自性を持った文化が生まれるものです。

自然環境という点でも自立した生態系が形成されます。

クマや鹿など、ある程度の大きさの動物が棲むことができます。鳥類でも翼長が1メートルくらいの鳥、トキや丹頂鶴などの大きさの鳥が生息できます。

ゾウやキリンほどの大型の動物は棲むことはできないのですが、ある程度の大きさの動物を育む生態系が維持できるだけの広さは、これもまた独特の文化を育む要素になります。

何より、海に囲まれていることに意味があります。海から蒸発した水が雲となって中央の山脈にぶつかり、雨が降って常に湿潤な状態となります。ある程度温暖であり、植物の育成にも適しています。海からは人間の生活に欠かせない塩がとれます。

温帯地域にある島国という点で、日本は極めて自然に恵まれています。自然に恵まれているということが日本人の宗教観にも大きな影響を与えています。

日本人は「自然」と「先祖」を大事にする宗教観を持っています。日本人が、お釈迦さまやイエス・キリスト、マホメットのような個別の宗教的開祖を必要としない理由です。

日本が安定した気候の島国で自然に恵まれ独立した生態系を持ち生活しやすい風土であるのに対して、大陸の生活はずいぶん異なります。

たとえばユーラシア大陸は、中国から中東、ヨーロッパにかかる地球上で最も大きな大陸であり、その広大さゆえに熱帯から温帯、冷帯、寒帯、砂漠のような乾燥帯と気候は多様です。中国の中原、メソポタミアなど肥沃な地域も多く存在します。

ヨーロッパも農業の盛んな地域です。しかし、豊かな地域ばかりではありません。北方は寒冷地で農業には適しません。

人間は摂氏26度程度ならば、着衣があれば不自由なく暮らせると言われていて、南方はその点で豊かな地域が多くあります。それらは、飢えに苦しむということのない一方、野獣や害虫も多い地域です。マラリアが発生したり疫病が流行ったりします。

こうしたことを考えると、ユーラシア大陸において住みやすいところは意外に少ないのです。そのため、広大な大陸ではありますが、一部の住みやすいところに3億人くらいの人々が密集して生活する、といったことになります。

草原地に遊牧民が生活しているという傾向も、住みやすさという点で問題がありました。遊牧民は、冷害などで作物の不作があると騎馬に乗って肥沃な地域に攻め込むことがあります。遊牧民の侵攻は歴史上、非常に頻繁に起こったことです。肥沃な土地に攻め入って殺戮、略奪を行います。侵入して、そのまま定着してしまうこともありました。

肥沃な地域の人々はその周辺の騎馬民族や貧しい地域の人々に攻められる危険を常に感じながら生活を送ることになります。肥沃な土地に暮らしているとは言っても、安定的で穏やかな生活とは言い難く、その精神状態はどうしても刹那的になってしまいます。

中国は度重なる北方からの侵入に手を焼いて万里の長城を築くなどしましたが、そんなものを建設する余裕のない地域もたくさんありました。

大陸での生活には荒々しい面が多かったのです。大きな城を築き、支配層と被支配層に分かれ、力のあるものが国を統一するという歴史が繰り返されました。

日本はとても穏やかでのんびりとした平和な地域でした。世界でも例を見ない、特別な地域なのです。

「自然」への感謝

人間の脳は、誠にさまざまな部分からできています。

自覚できる知的な活動をつかさどる部分として、大脳皮質と前頭葉があります。人類の発生は700万年ほど前と言われており、アウストラロピテクスがアフリカ大陸で二足歩行を始めてから、手を使うことで大脳皮質が大きくなり始め、現代の私たちが持つような脳へと進化していくことになります。

人間としての「意識」がどの時期に宿ったのかということについては科学的には分析がまだ不十分ですが、大脳皮質が本能を抑制することができるようになったのは200万年前のことです。脳の情報が本能を上まわり、本来であれば反本能的である火の使用を開始し、また、性欲の減退ということも始まりました。その後、20万年くらい前から現代の私たちに近い感情が生まれたとも言われています。

新人と言われ、4万年くらい前まで存在したとされているネアンデルタール人は、私たちホモ・サピエンスよりも脳が大きかったと言います。ネアンデルタール人はホモ・サピエンスとはかなり近い関係にあり、一部では交配して、遺伝子が今に受け継がれているようです。分類で言えば、ネアンデルタール人はホモ・エレクトス、私たちはホモ・サピエンスですが、親戚と言ってもいいような関係です。

このネアンデルタール人が、人間を埋葬する習慣を持ちました。膝を抱くような形で埋葬する、埋葬した人の横に花を手向ける、といったことも始めました。つまり、死ぬとはどういうことか、死んだらどうなるのか、といった疑問や、花を手向けて悼むという気持ちなど、現代の人間に近い心の動きを持つようになった、ということです。それは、人間以外の動物には見られない感情でした。

ネアンデルタール人とホモ・サピエンスは同時代を生きていましたが、5万年くらい前からホモ・サピエンスが優位になりました。3万6000年くらい前に、旧石器時代を迎えます。この時代の石器はあまり石に細工を施さず、細長い石に直接木を結わえて獲物をとったり木を斬ったりする程度のものでしたが、原始的なものとはいえ、それは立派に道具と言えるレベルのものでした。

当時から人類は集団生活をしていました。道具の使用とともに、集団生活は脳の発達を促します。

初期の人類は多くて10人くらいの集団だったと考えられます。これが1万年くらい前に1000人規模に膨れ上がります。この規模になると組織立った動きが出てきますし、人間同士の争いなども出てきます。宗教的なものや、心に安寧をもたらす、いわゆる芸術といったようなことが必要になってきます。

この頃から日本は温帯の島国でした。梅雨などの雨季もあり、周期的に雨が降ります。夏になると太陽光が強く降り注ぎ、光合成を促進して植物がよく育ちます。秋は台風がやってくるなどしますが、実りの多い季節です。生活は安定していました。

冬になると雪が降りますが、この頃の日本には豪雪地帯はなかったとされています。大陸とは地続きで、対馬海峡がまだ閉ざされた状態でしたから、日本海に暖かな対馬海流は流れ込んでいませんでした。日本海は今よりも冷たい海だったのです。海水温が低かったので水の蒸発量は少なく、現在の北陸から東北地方にたくさんの雪が降ることはありませんでした。

やがて対馬海峡が広がりました。南方の太平洋から流れ込んだ暖流は九州にぶつかり、その太平洋側が日本海流と呼ばれる暖流になります。それが日本海側に流れ込むようになったのが対馬海流です。対馬海流のおかげで日本海側の海水温が上がりました。温かくなった海水は大量の水分を蒸発させます。そこに大陸から冷たい西北風が吹き込みます。水蒸気をたっぷり含んだ冷たい風が日本列島の中央山嶺にぶつかるので、北陸から東北地方は世界でも有数の豪雪地帯になりました。豪雪の雪解け水が日本の農耕文化を育みました。

雪解けの頃、中国の奥地から偏西風に乗って黄砂がやってきます。昨今、黄砂は悪者扱いですが、本来はこれも日本への恵みの一つでした。黄砂は弱アルカリ性です。耕作を続けると農地は少しずつ酸性になっていきます。土地がやせてくるわけです。これを黄砂が防いでいました。日本の土地が安定的に粟や稗（ひえ）、コメなどの農作物を栽培しやすいものだった理由の一つです。

黄砂は海にも降り注ぎます。海も酸性になりがちなので、黄砂は酸性とアルカリ性を調整する役目を果たします。そのおかげで日本近海は漁獲量の多い豊かな海になっていました。

計り知れないほどの自然の恩恵に恵まれ、しかも周囲を海に囲まれていたのが日本でした。外敵の侵入も少なく、海洋性の穏やかな気候の日本で育まれた思想は、大陸で生まれたような自然と対決する思想ではなく、自然に感謝する思想です。山や川、野の恵みに感謝する宗教が自然と生まれたのです。

「先祖」への感謝

日本人の精神の骨格には「自然を敬う」ということとともに、「先祖を敬う」というもう一つの大きな柱があります。合掌するというのは、世の神々に手を合わせる、ということです。その神々は、山だったり、川だったり、オオカミだったり、稲穂だったり、とさまざまですが、これは多神教というものとは異なります。

宗教学という学問はヨーロッパの宗教を基にしています。何かにつけ一神教と多神教に分けたがるのはそのためです。

山の神様と言っても、単純に山だけを神様として信仰しているわけではないのです。山を祭っているけれども、山だけではなく、山を含めた周辺の自然環境である山・海・川すべてが神様であって、単にそこに山があったから目の前の山の神様を祭っているだけです。このあたりはたいへん理解のしにくいところでしょう。

日本人の「先祖を敬う」の特徴的な部分は、「日本人の先祖は同じ」と考えていることです。

生物学的に考えれば、本来の系図は自分の父の代、祖父の代、曽祖父の代と人数が増えていくものです。自分の親は2人、おじいさん・おばあさんは4人、ひいじいさん・ひいばあさんは8人になります。遺伝子的に先祖をたどれば、その数はどんどん大きくなっていきます。

人間の1世代は大体30年ですから、100年経てば3代です。100年前の8人から遺伝子をもらって今自分がいるわけです。2の3乗で8人です。200年あるいは180年で6代ですから2の6乗で64人、先祖の数は64人となります。これが1000年になると、33代ですから、2の33乗で「8589934592」、私たちにはそれぞれ85億8993459 2人の祖先がいることになります。現在の世界人口より大きい数字です。

1000年前と言うと平安時代にあたりますが、当時の日本の人口はせいぜい500万人から1000万人だと試算されています。島国ですから、いとこ同士など、近い血縁での結婚もあったでしょう。いずれにしても日本人の遺伝子は混ざり合っています。計算すると、日本ではほぼ600年で遺伝子がすべて混ざることになります。

関東に住んでいようが、四国に住んでいようが、北海道に住んでいようが、日本人には共通性があります。日本人は皆、血が混じり合っていて、全員が兄弟なのです。

背が高いとか顔の形がどうのこうのなどと言いますが、外国人の肌の色や体格、生活習慣や考え方の違いに比べれば、日本人は皆同じと言っていいでしょう。ちょっと近くに住んでいる人同士であれば、ほぼ99パーセントは同じ遺伝子です。

日本人は、顔を見れば日本人だとわかります。陸上競技で日本人が走る様子を見れば、アフリカ系の人とは走り方が明らかに違います。白人系の人の走り方とも違います。骨格のつくりや基本的な部分において、日本人のほとんどは一緒です。

日本人は皆、家族のような存在です。自分に子供があるかどうかなどは関係なく、そこに子供がいれば、たとえば隣の家の子供でも、自分の子供と同じです。私たちは共通のご先祖様から日本人というものを引き継いだ、共通の日本人なのです。

昨今は自宅の仏間におじいさんやおばあさんの代からの写真を並べている家は少なくなりましたが、かつてはご先祖様の写真を家に飾ることは普通でした。

家族の先祖を敬うというのはもちろん立派なことですが、その家族の生まれた地域には同じ先祖というものがあります。周辺の地域全体の祖先を敬うお祭り、あるいは先祖を慰めるような集まりをさらに大事にするべきだろうと思います。

最近は地方に伝わるお祭りも減ってきたように思います。共通の先祖を持っているはずなのに地域同士の結び付きが希薄になってきた、ということです。

つながりということで言うなら、子供は親のものではなく、住む地域の皆のものと言ってもいいでしょう。むしろ血のつながった兄弟のほうが、性格は似ていないことが多いものです。


自然を敬い、先祖を敬い、自分をこの世に出してくれた両親を敬い、そして育ててくれた環境を敬うのが日本人なのです。

天皇の「男系継承」の意義

今までお話ししてきたように、日本人は古来、自然に対して深い考察を行い、その考察を生活の中に取り入れ、創意工夫を加え、さまざまな技術として身に付けてきました。

そうしてでき上がってきている日本文明の中で、システムとしてひときわ素晴らしいものが天皇を中心とした社会、そして、男系による皇位継承（男系継承）という方式です。

地域や国家などの集団をまとめ上げる上では、力のあるものが君臨して統一していくことが必要だ、というのは事実でしょう。力というものの典型が、武力あるいは暴力に秀でている、お金を持っている、頭が良い、といったことです。

原始的な社会では「暴力」が、成熟した社会では「金力」が重視されます。

歴史を見ればわかる通り、「力」のあるものとして「王」が君臨するためには「暴力」を発揮するために軍隊を持つことが必要でした。
戦いとなると「男」である必要があります。洋の東西を問わず、王様と言えば「男」というのが大多数でした。

日本の場合は違いました。日本には女性の天皇がいらっしゃいました。八方十代と言いますが、飛鳥時代に推古天皇、皇極天皇・重祚（ちょうそ）して斉明天皇、持統天皇、奈良時代に元明天皇、元正天皇、孝謙天皇・重祚して称徳天皇、江戸時代に明生天皇、後桜町天皇の、8人の女性天皇がおられました。ここにも男女は平等であるという日本の基本的な構造があります。

日本は島国であり、地続きのところで外国と国境を接することがありません。天皇を中心とする社会を国とするのは自然なことでした。そのために世界で最も早いであろう時期に、日本人には天皇を掲げた民のまとまり、いわゆる国家意識が育まれることになりました。

「天皇を中心に民が一体となって日本列島に住む。日本人とは日本列島に住んでいる人々のことである」ということです。これは、日本文明が持つ平等意識の根源ともなっています。

天皇がおられるから、民は平等です。逆説的に感じられるかもしれませんが、これは「敬語」に表れています。

敬語という言葉遣いは、日本の誇るべき美徳です。尊敬と謙譲の気持ちを込めて相手を思いやる日本独特の文化と言ってもいいでしょう。

敬語は、天皇陛下の前においては、陛下にのみ使われます。天皇が特別なご存在であるということ、天皇の権威というものを皆が共有しているからです。つまり、天皇の下で、すべての民は平等です。


天皇の皇位継承は令和の御世で126代、一つの例外なく男系で継承されてきました。男系とは、「天皇の父方の血筋をたどっていくと必ずそこには天皇がおられる」ということです。

過去8人の女性天皇もすべて男系です。現行の皇室典範には、「皇位は、皇統に属する男系の男子が、これを継承する」と書かれています。

つまり、神武天皇の遺伝子を今上天皇は受け継いでおられるのです。男系の皇位継承には、日本の社会を成り立たせている権威を継承していくにおいて極めて合理的な方式でした。
もちろん、古代に遺伝子理論などはありませんから、日本人は自然の観察を通して意味を読み取り、今日まで引き継いできたのです。男系継承は、皇室に無駄な権力闘争を起こさないための知恵でもありました。

1946年1月1日、昭和天皇はいわゆる「人間宣言」を行いました。発布された詔書の正式名称は「新年ニ當リ誓ヲ新ニシテ國運ヲ開カント欲ス國民ハ朕ト心ヲ一ニシテ此ノ大業ヲ成就センコトヲ庶幾フ」と言います。

詔書には、人間という言葉は出てきません。戦後の利権を確保したい、いわゆる当時の平和勢力は、天皇の権威があってこその日本文明であるということを深く考えずに、「人間宣言」というキャッチフレーズで世論を誘導しました。

このことによって現代人が失ったものは大きく、今もその影響は続いています。しかし、数千年の歴史のうちのたかが数十年の出来事です。日本人は再び日本文明の本質を取り戻し、再び幸福に生き続けるでしょう。

あとがき ～実は、とても科学的な「日本文明」

◉科学とはどういうものか

科学で行われている作業は、実験や観測から生まれる実証的なデータ（事実）の集積です。一つひとつのデータを誰もが共有できるように集積します。

そして誰もが確認できるデータに基づいてさらなる実験や観測をし、事実関係を実証的に次々と積み重ねて先に進んでいきます。

新しい計測器が発明され今まで困難だったデータを読み取ることができれば、それまで積み上げてきた事実が一挙に逆転されるかもしれません。それは仕方がないことなのです。

私たち科学者は、大きな木の根本でごそごそと動きながら少しでも上にあがろうとしている小さな虫のような存在です。試行錯誤しながら少しでも大木の上のほうに行きたいと懸命に模索しているのです。

科学とはどういうものか、もう少しわかりやすく説明してみましょう。

たとえば「天動説」。天動説というのは「地球が宇宙の中心にあり、太陽は地球の周りを回っている」という説です。古代ギリシアやローマ、中世ヨーロッパなどでは常識的な宇宙論でした。

天動説の面白いところは、単に自分の目だけで観測しているのであれば、「誰にでもそう見える」ということです。したがって、けっして間違いではありません。その時点では「科学的に正しい」と言えるのです。

自分が地上に立って空を見上げれば、どう見ても太陽は東から上がり、西に沈んでいきます。夜の星を観察しても、少し違う動きをするものもありますが、同じことです。事実として、地球の大地が動かずに太陽や月や星が動いているように見える。

しかし、観察データが積み重なって分析が細かくなると、さまざまな解釈が生まれてきます。

天動説が華やかなりし頃、ガリレオ・ガリレイがオランダで天体望遠鏡を手に入れ、観測しました。すると、天動説に疑問を感じるようになりました。

「惑星の動きがどうもおかしい。なぜだろう？　観測データを整理して考えてみると、「本当は太陽が中心にあって地球がその周りを回っているのではないか？」」――。

やがて、ニコラウス・コペルニクスが提唱してガリレオが支持した「地動説」こそが正しいという流れになってきます。

こうした検証の積み重ねが科学の進歩です。

しかし、キリスト教会の人々は「聖書に書かれていることとは違う」と言って信じませんでした。ガリレオは宗教裁判にかけられ、地動説を支持した修道士が火あぶりになることもありました……。

科学に限らず学問は、人間が観察し、人間が考えて進むものですから、当然間違いがあります。

ですから、「ほとんどの学問は間違っているかもしれない。現時点ではこれが正しいとしているに過ぎない」と自覚する必要があります。人間は、自らが思うほど知恵があるわけではありません。

望遠鏡ができたのは16世紀末です。望遠鏡を発明していなければ人類はまだ天動説のままだった、ということも考えられるのです。

現代では計測機器の開発が多様に進み、ガリレオの時代よりもさまざまなことがわかるようになってきました。しかし、ありとあらゆるものがわかっているというわけではありません。

21世紀になっても、まだまだ科学的にわからないことはたくさんあります。たとえば、「未確認飛行物体」や「死後の世界」は今のところは科学的に観測できていませんから「ない」ということになっています。ただし、将来それらを計測できる機器が発明され、データが蓄積されれば「ある」となる可能性はゼロではないのです――。

＊

本書で分析してきたように、日本文明は自然を観察し続け、自然から学び続けてきました。

縄文の時代から数万年をかけてこつこつとデータを積み上げ、日本人は試行錯誤しながら文明をアップデートしてきたのです。

筆者は科学者の一人として、これこそが日本文明の極めて尊敬すべき点だと考えています。

世界に類を見ない「かけがえのない国」がここにあるのです。

令和五年睦月

武田 邦彦

著者略歴

武田邦彦

（たけだ・くにひこ）

1943 年東京都生まれ。工学博士。専攻は資源材料工学。東京大学教養学部基礎科学科卒業後、旭化成工業に入社。同社ウラン濃縮研究所所長、芝浦工業大学教授、名古屋大学大学院教授を経て、2007年中部大学総合工学研究所教授、2014年より同特任教授、2021年退任。

著書に『フェイクニュースを見破る 武器としての理系思考』（ビジネス社 ）、『50歳から元気になる生き方』（マガジンハウス）、『ナポレオンと東條英機』（ＫＫベストセラーズ）、『環境問題はなぜウソがまかり通るのか』３部作（洋泉社）他ベストセラー多数。

制作スタッフ

〔装丁〕 WELL PLANNING（松岡昌代）
〔DTP〕 株式会社三協美術
〔編集協力〕 尾崎克之

〔編集長〕 山口康夫
〔担当編集〕 河西　泰

かけがえのない国（くに）

2023年3月21日　初版第1刷発行
2023年5月19日　初版第2刷発行

〔著　者〕 武田邦彦（たけだくにひこ）
〔発行人〕 山口康夫
〔発　行〕 株式会社エムディエヌコーポレーション
〒101-0051　東京都千代田区神田神保町一丁目105番地
https://books.MdN.co.jp/
〔発　売〕 株式会社インプレス
〒101-0051　東京都千代田区神田神保町一丁目105番地
〔印刷・製本〕 中央精版印刷株式会社

〔カスタマーセンター〕
造本には万全を期しておりますが、万一、落丁・乱丁などがございましたら、送料小社負担にてお取り替えいたします。お手数ですが、カスタマーセンターまでご返送ください。

■落丁・乱丁本などのご返送先
〒101-0051　東京都千代田区神田神保町一丁目105番地
株式会社エムディエヌコーポレーション カスタマーセンター
TEL：03-4334-2915

■書店・販売店のご注文受付
株式会社インプレス　受注センター
TEL：048-449-8040 ／ FAX：048-449-8041

内容に関するお問い合わせ先
株式会社エムディエヌコーポレーション　カスタマーセンターメール窓口
info@MdN.co.jp

本書の内容に関するご質問は、Eメールのみの受付となります。メールの件名は「かけがえのない国　質問係」とお書きください。電話やFAX、郵便でのご質問にはお答えできません。ご質問の内容によりましては、しばらくお時間をいただく場合がございます。また、本書の範囲を超えるご質問に関しましてはお答えいたしかねますので、あらかじめご了承ください。

ISBN978-4-295-20507-4　C0036